Bright Beginnings

מסכת

ברכות

פרק רביעי - תפלת השחר

VOLUME II

The Bright Beginnings Gemara Series
is dedicated in honor of

Daniel & Claire Lifshitz עמו״ש

by their children and grandchildren
Melly and Rochelle, J.D. and Renina, Adam, Arye, Aliza and Ariella
in recognition of the profound impact this very special couple
has had on their lives as Torah Jews.

Daniel and Claire embody the timeless words of
Micha (6:8) who famously articulated Hashem's charge that we
"Perform justice, love kindness, and walk modestly with Hashem."

They live their lives with integrity and humility, always keeping their eyes
open for people who could benefit from their generosity of spirit.

Daniel is an accomplished Talmid Chacham who regularly devotes time to the study of Torah, and Claire was a teacher in Prospect Park Yeshiva and the New York Public School System for decades. They deeply value and appreciate this methodical and thoughtful method of introducing beginner learners to Gemara.

It is very meaningful to us that our Gemara series will be graced with their names as I am forever in their debt for Claire's kindness to our family when my father passed away over fifty years ago, leaving my mother with three children under the age of five. During the time that my mother was alone, Claire rang our doorbell **every single morning** on her way to work just to see that things were in order in our home. My mother ע״ה regularly mentioned how Claire's concern for our family's wellbeing provided her with comfort and support during her darkest hours.

It is my sincere wish that Hashem grant Daniel and Claire many
more years of good health and may they both derive
endless nachas from their beautiful family.

With appreciation and gratitude,

Yakov Horowitz

This volume is dedicated by

Michael and Estelle Stein

in loving memory of their parents

Mendy & Shirley Stein a"h

Ephraim & Chaya Berger a"h

לזכר נשמת

ר' מרדכי מנחם בן ר' זאב

ובת שבע בת ר' משה

ר' אפרים בן ר' שמואל דוד

וחי' צפורה בת ר' יהודה לייב

יהי זכרם ברוך

May their memories be for a blessing, and may the enhanced learning of many thousands of Jewish children worldwide who will gain fluency and a love for Torah learning from this workbook be a zechus for their neshamos.

INTRODUCTION

We are delighted to present you with Volume 2 of our **Bright Beginnings Gemara Brachos Series**, humbled by the overwhelming response of the Torah world to the release of our first Brachos workbook. In just two short years, it has already helped over 3,500 students in 60 schools worldwide.

Rabbi Aron Spivak lovingly authored these Gemara Brachos workbooks over a period of fifteen years to introduce beginner learners to the beautiful and complex study of Gemara. Rabbi Spivak was a student in my eighth-grade classroom many years ago and I have watched him grow into a superstar Rebbi with great pride and admiration. These workbooks are a testament to his knowledge, creativity, devotion and ever-expanding skills.

Please note that we designed these workbooks to supplement the Gemara, not replace it. With that in mind, we recommend that students learn from a Gemara and use the workbook as a learning tool. You can download a PDF with the vocabulary words listed in this workbook and their translation at https://thebrightbeginnings.com.

My dear friends Harry Skydell and Mark Karasick provided the initial seed money for Bright Beginnings. Over the past sixteen years, they were partners in our work with at-risk children and more recently our child safety/abuse prevention initiatives, by serving as chairmen of The Center for Jewish Family Life/Project YES. We are deeply grateful for their continued generous support and in awe of their tireless efforts for a seemingly endless list of Jewish causes.

On behalf of all those who will benefit from these pages, I would like to express our gratitude to my dear friends Melly and Rochelle Lifshitz for their generosity and vision in dedicating the Bright Beginnings Gemara Project in honor of their parents Reb Daniel and Claire. May Hashem grant Melly and Rochelle endless *nachas* from their beautiful family and success in all their endeavors.

I am forever grateful to my dear friends Michael and Estelle Stein for their ongoing support of all our Bright Beginnings curricular materials, since the time it was simply a dream of mine, nearly twenty years ago. They are dedicating this volume in loving memory of their parents Mendy and Shirley Stein a"h, and Ephraim and Chaya Berger a"h. I would also like to express my gratitude to my dear friends Barbara and Jerry Weissman for helping us distribute these workbooks to schools worldwide.

Producing creative Judaic studies materials like this workbook from initial concept to final product requires a very significant investment, and I ask those of you who may have the capacity to contribute development funds to Bright Beginnings or who would perhaps consider dedicating a future volume to kindly contact me at ryh@thebrightbeginnings.com. I also encourage you to email your comments, corrections and suggestions to publications@thebrightbeginnings.com to help us improve future workbooks in this series.

We are honored that Torah Umesorah distributes our Bright Beginnings Gemara and Chumash Series and I am forever grateful to my dear friend Rabbi Dovid Bernstein, Director of Torah Umesorah's Aish Dos Training Institute, for including me in their three-year Senior Leadership Fellows (1997-1999).

We are grateful to Mrs. Dena Peker and her talented and gifted staff at Dynagrafik Design Studio for their creative efforts in designing this beautiful workbook, based on Rabbi Spivak's original black-and-white homework sheets, and to Mr. Philip Weinreich of Noble Book Press for his assistance with its printing and binding. Mr. Tuvia Rotberg of Tuvia's Judaica in Monsey provided a great service to Jewish children worldwide by publishing Gemara *sefarim* (textbooks) with punctuation, to help ease the transition of beginner learners to Gemara, and we thank him for graciously granting us permission to use his punctuated text in our workbooks.

This workbook would never have reached the finish line without the active participation of Mrs. Chaya Becker, administrative director of The Center for Jewish Family Life/ Project YES, and I would like to express my deepest appreciation for all the incredible work she does.

May the enhanced learning generated by this workbook merit the memory of my father Reb Shlome Horowitz, who tragically died before my fourth birthday, of my mother Beile, and of Reb Shlomo Nutovic, the wonderful man who married her two years after my father's *Petirah*. May their memories forever be blessed.

To our dear children, thank you for sharing me so graciously with the *klal* and for giving Mommy and me such unending *nachas* over the past thirty-seven years.

Over the past thirty-eight years, my wife Udi has been my full partner, confidant and closest friend, and she utilizes her incredible range of talents to help me actualize my dreams. May Hashem repay her with our greatest wish – that we grow old together and share *nachas* from our wonderful children and grandchildren.

Finally, and most importantly, I would like to humbly give thanks to Hashem for allowing me to, "dwell in His House," (*Tehillim* 27:4) and to teach His Torah for the past thirty-eight years. May it be His will that these pages bring us closer to actualize our dream of *V'chol Banayich Limudei Hashem* (*Yeshayahu* 54:13) that each and every one of our children become proud, committed and learned Jews.

Yakov Horowitz
Monsey, N.Y.

1 Iyar 5778
April 17, 2018

THIS WORKBOOK IS DEDICATED TO MY WONDERFUL CHILDREN

יצחק שמואל נ״י

Whose love for לימוד התורה and עבודת ה׳
reminds me of why I became a מחנך.

אליעזר יהודה נ״י

Whose curiosity and drive for understanding remind me
to strive to be the most effective teacher that I can be.

חיים נ״י

Whose bright smile and desire for closeness remind me
that תורה and מצוות must be infused with love and joy.

ישעיהו נ״י

Whose independent spirit reminds me that the best way to teach
is by giving students the tools to learn on their own.

I thank ה׳ for each of you every day of my life.

Love,

אבא

מסכת ברכות

פרק רביעי
תפלת השחר

סוגיא ד׳

שיעורים
כ״ד - ל״ו

שיעור
כד
כז. lines 37-40
VOCABULARY
WORDS
71. תְּנַן
72. הַשְׁתָּא

STEP 1

The גְּמָרָא is once again ready to move on and discuss the next part of our מִשְׁנָה. You probably remember that the גְּמָרָא indicates this by quoting the next part of the מִשְׁנָה with two dots before it and after it. (For a quick review, look at the beginning of שִׁיעוּר ט"ז.) What makes things slightly different this time is that the גְּמָרָא does not print the entire quote. Instead, the גְּמָרָא prints the first few words and then writes the word "וְכוּלְּהוּ", abbreviated as "וְכוּ'". This word means that we should read the quote as if the entire phrase or sentence was printed.

When we see this:

היא שָׁעָה שֶׁהַשֶּׁמֶשׁ חַם וְהַצֵּל צוֹנֵן הֱוֵי אוֹמֵר בְּאַרְבַּע שָׁעוֹת: תְּפִלַּת הַמִּנְחָה
עַד הָעֶרֶב וְכוּ': אָמַר לֵיהּ רַב חִסְדָּא לְרַב יִצְחָק הָתָם אָמַר רַב כַּהֲנָא הֲלָכָה כְּרַבִּי

We read this:

תְּפִלַּת הַשַּׁחַר עַד חֲצוֹת ר' יְהוּדָה אוֹמֵר
עַד ד' שָׁעוֹת תְּפִלַּת *הַמִּנְחָה עַד
הָעֶרֶב רַבִּי יְהוּדָה אוֹמֵר עַד פְּלַג הַמִּנְחָה
תְּפִלַּת הָעֶרֶב אֵין לָהּ קֶבַע *וְשֶׁל מוּסָפִים כָּל הַיּוֹם ○(ר' יְהוּדָה אוֹמֵר עַד
ז' שָׁעוֹת): גמ' וּרְמִינְהוּ מִצְוָתָהּ עִם הָנֵץ הַחַמָּה כְּדֵי שֶׁיִּסְמוֹךְ גְּאוּלָּה
לִתְפִלָּה וְנִמְצָא מִתְפַּלֵּל בַּיּוֹם

Now let's learn the מֵימְרָא (which is the quote from our מִשְׁנָה) that begins our סוּגְיָא:

The מִנְחָה תְּפִלָּה of	**תְּפִלַּת הַמִּנְחָה**
[may be said] until the evening	**עַד הָעֶרֶב**
רַבִּי יְהוּדָה says,	**רַבִּי יְהוּדָה אוֹמֵר**
until halfway through מִנְחָה	**עַד פְּלַג הַמִּנְחָה**

A PDF with the vocabulary words listed in this workbook and their translations can be downloaded at bbchumash.com.
תפלת
השחר
פרק רביעי
ברכות

In short, we have a מַחֲלוֹקֶת about the ending time for מִנְחָה. The חֲכָמִים say that it ends at the end of the day and רַבִּי יְהוּדָה says that it ends 1¼ hours earlier, at פְּלַג הַמִּנְחָה.

STEP 2

The גְּמָרָא begins its discussion of תְּפִלַּת מִנְחָה by asking which שִׁיטָה is accepted as the הֲלָכָה. The שְׁאֵלָה will include a comparison to תְּפִלַּת שַׁחֲרִית where we paskened like רַבִּי יְהוּדָה.

רַב חִסְדָּא said to רַב יִצְחָק	אֲמַר לֵיהּ רַב חִסְדָּא לְרַב יִצְחָק
____________ [by שַׁחֲרִית]	הָתָם
רַב כַּהֲנָא said	אֲמַר רַב כַּהֲנָא
the הֲלָכָה is like רַבִּי יְהוּדָה (that שַׁחֲרִית is until four hours)	הֲלָכָה כְּרַבִּי יְהוּדָה
since	הוֹאִיל
and ____________________ in the chosen מִשְׁנַיוֹת	וּתְנַן בִּבְחִירְתָּא
______________________________	כְּוָותֵיהּ
____________ [by מִנְחָה]	הָכָא
___________ [is the דִין]	מַאי

The שְׁאֵלָה is very simple. By מִנְחָה, do we pasken like רַבִּי יְהוּדָה (as we did by שַׁחֲרִית) or like the חֲכָמִים?

STEP 3

This step is not what we usually call a מֵימְרָא. Normally, a מֵימְרָא is a statement where a חָכָם wants to teach us something. However, this מֵימְרָא is one where the גְּמָרָא tells us something that happened.

[רַב יִצְחָק] was silent	אִישְׁתִּיק
and he did not say _____________	וְלֹא אָמַר לֵיהּ
and not anything.	וְלֹא מִידֵּי

The great רַב יִצְחָק did not have an answer for רַב חִסְדָּא's question!

VOCABULARY REVIEW:

תְּנַן ______

הַשְׁתָּא ______

חָזִי ______

אַדְּרַבָּה ______

מַנִּי ______

PUT IT ALL TOGETHER:

1. Read, translate and explain the following גְּמָרָא.

תְּפִלַּת הַמִּנְחָה
עַד הָעֶרֶב וְכוּ': אָמַר לֵיהּ רַב חִסְדָּא לְרַב יִצְחָק הָתָם אָמַר רַב כַּהֲנָא הֲלָכָה כְּרַבִּי יְהוּדָה הוֹאִיל וּתְנַן בִּבְחִירְתָּא כַּוָּותֵיהּ הָכָא מַאי אִישְׁתִּיק וְלֹא אָמַר לֵיהּ וְלֹא מִידֵּי

2. Which words are added in because it says "וְכוּ'"? ______

3. Who asked the שְׁאֵלָה? ______ To whom? ______

4. Please explain the שְׁאֵלָה. ______

______

5. What was the response to the שְׁאֵלָה? ______

6. Please translate these words the way that you would while reading this גְּמָרָא.

א. הָתָם ______

ב. הָכָא ______

ג. מַאי ______

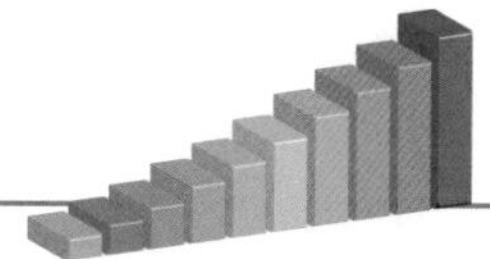

IDENTIFY THE STEPS:

BE SURE TO INCLUDE EVERY WORD.

תְּפִלַּת הַמִּנְחָה
עַד הָעֶרֶב וְכוּ': אָמַר לֵיהּ רַב חִסְדָּא לְרַב יִצְחָק הָתָם אָמַר רַב כַּהֲנָא הֲלָכָה כְּרַבִּי יְהוּדָה הוֹאִיל וּתְנַן בִּבְחִירְתָּא כַּוָּותֵיהּ הָכָא מַאי אִישְׁתִּיק וְלָא אָמַר לֵיהּ וְלָא מִידֵּי

Please **underline** the first מֵימְרָא

Please [**bracket**] the שְׁאֵלָה

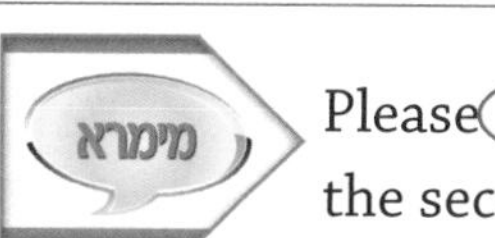

Please circle the second מֵימְרָא

MATCHING:

______	1. תְּפִלַּת הַמִּנְחָה לְפִי שִׁיטַת רַבִּי יְהוּדָה	א. עַד פְּלַג הַמִּנְחָה
______	2. Word that means "he was silent"	ב. אִישְׁתִּיק
______	3. Asked the שְׁאֵלָה	ג. הָתָם
______	4. By מִנְחָה	ד. עַד הָעֶרֶב
______	5. The one who was asked	ה. מֵימְרָא
______	6. By שַׁחֲרִית	ו. מֵימְרָא
______	7. תְּפִלַּת הַמִּנְחָה לְפִי שִׁיטַת הַחֲכָמִים	ז. רַב חִסְדָּא
______	8. Step 1 of the סוּגְיָא	ח. הָכָא
______	9. Step 2 of the סוּגְיָא	ט. שְׁאֵלָה
______	10. Step 3 of the סוּגְיָא	י. רַב יִצְחָק

STEP 4

When רַב חִסְדָּא received no response from רַב יִצְחָק, he realized that he would have to try and find his own proof for the הֲלָכָה regarding the end time of תְּפִלַּת מִנְחָה.

The key to understanding this proof is to know that the זְמַן for מִנְחָה does not only affect מִנְחָה. Whenever the זְמַן מִנְחָה ends that is when זְמַן מַעֲרִיב begins.

As we clearly see, not only does רַבִּי יְהוּדָה say that we must be finished מִנְחָה by פְּלַג הַמִּנְחָה, he also allows us to begin מַעֲרִיב at this time, even though the sun is still shining! This means that if you see someone davening מַעֲרִיב during the day, he is not confused; he is just going with the שִׁיטָה of רַבִּי יְהוּדָה. Now we can understand the רַאֲיָה:

רַב חִסְדָּא said	אָמַר רַב חִסְדָּא
Let ______ see:	נֶחֱזֵי אֲנַן
From [the fact] _______ רַב	מִדְּרַב
davened a שַׁבָּת davening	מְצַלֵּי שֶׁל שַׁבָּת
on עֶרֶב שַׁבָּת	בְּעֶרֶב שַׁבָּת
while it was still day	מִבְּעוֹד יוֹם
___________________________	ש"מ
the הֲלָכָה is like רַבִּי יְהוּדָה.	הֲלָכָה כְּרַבִּי יְהוּדָה

Due to the fact that רַב davened מַעֲרִיב of שַׁבָּת while it was still daytime on עֶרֶב שַׁבָּת, we can determine that he paskened like רַבִּי יְהוּדָה, because the חֲכָמִים don't allow one to daven מַעֲרִיב before שְׁקִיעָה.

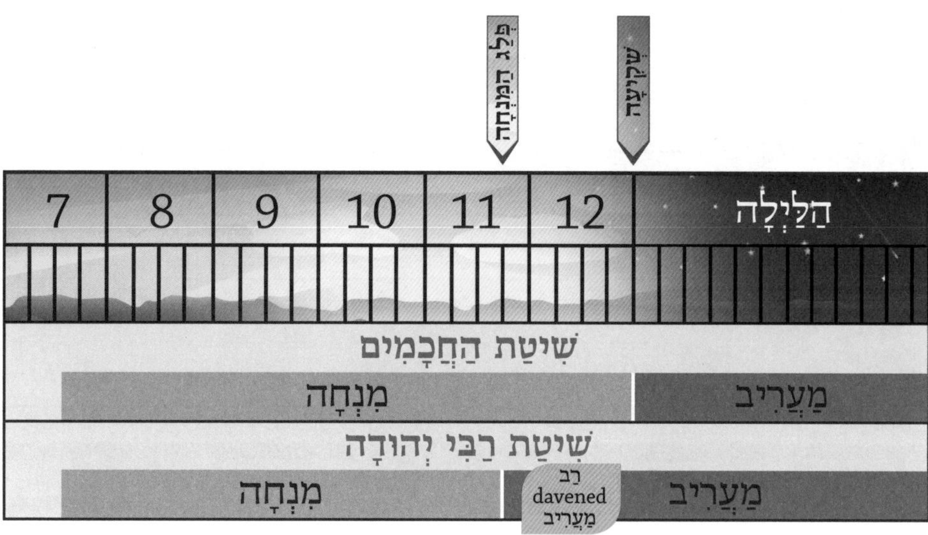

STEP 5

רַב חִסְדָּא's mission to figure out the הֲלָכָה won't be as easy as finding one quick and easy proof. Although he had a proof that the הֲלָכָה is like רַבִּי יְהוּדָה, the גְּמָרָא will now present a proof to the contrary - that the הֲלָכָה is like the חֲכָמִים.

______________________________	אַדְּרַבָּה
from [the fact] ________ רַב הוּנָא and the חֲכָמִים	מִדְּרַב הוּנָא וְרַבָּנָן
did not daven	לֹא הֲווּ מְצַלּוּ
until evening	עַד אוּרְתָּא
______________________________	שְׁמַע מִינָּהּ
the הֲלָכָה is not like רַבִּי יְהוּדָה!	אֵין הֲלָכָה כְּרַבִּי יְהוּדָה

רַב הוּנָא and the רַבָּנָן waited to daven מַעֲרִיב until it was after שְׁקִיעָה. From this we see that they did not pasken like רַבִּי יְהוּדָה. After all, if they did hold like him, there would be no reason to wait.

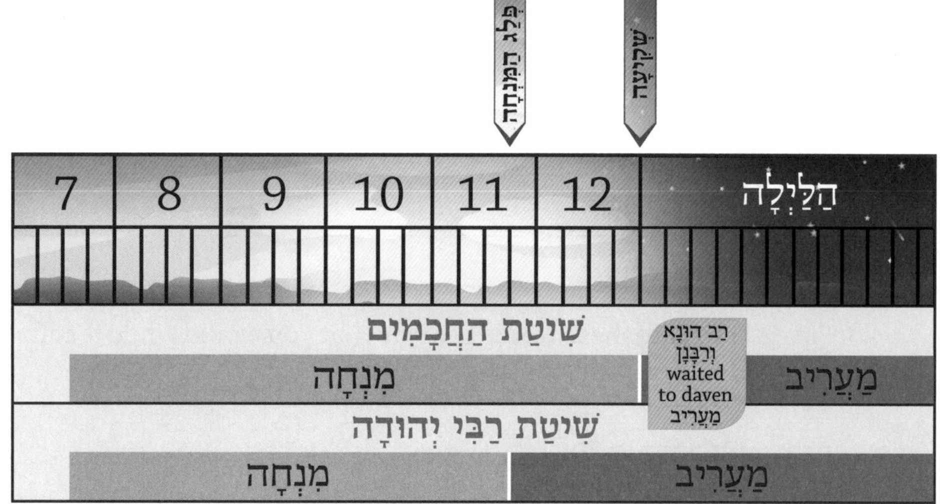

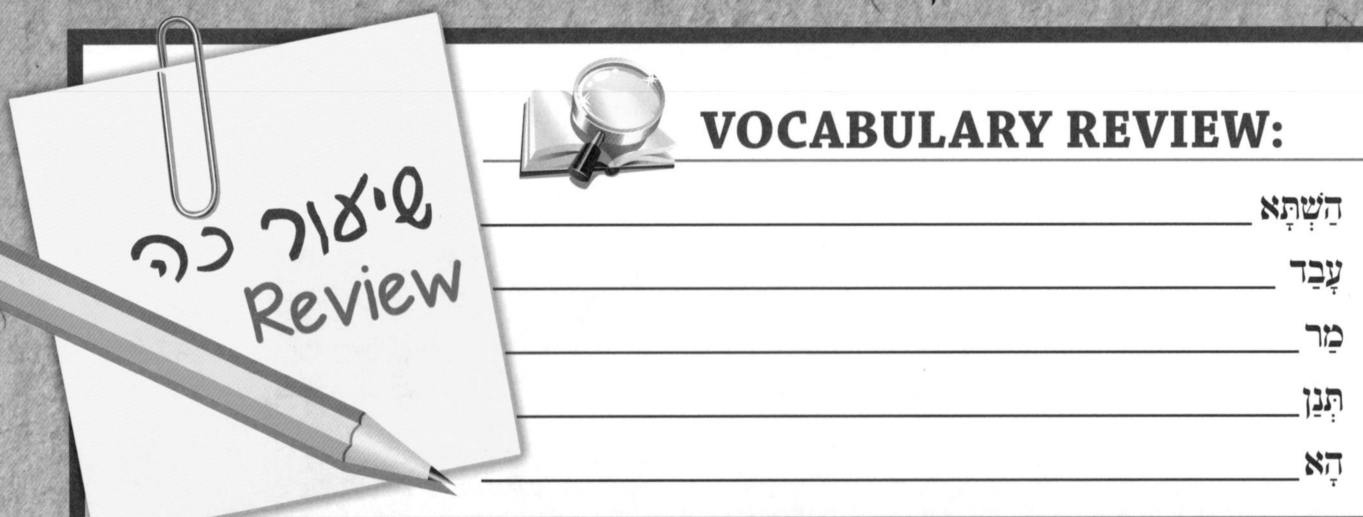

VOCABULARY REVIEW:

הַשְׁתָּא ______

עֲבַד ______

מַר ______

תְּנַן ______

הָא ______

PUT IT ALL TOGETHER:

1. Read, translate and explain the following גְּמָרָא.

אָמַר רַב חִסְדָּא נָחֲזֵי אֲנַן מִדְּרַב מְצַלֵּי שֶׁל שַׁבָּת בְּעֶרֶב שַׁבָּת מִבְּעוֹד יוֹם
ש"מ הֲלָכָה כְּרַבִּי יְהוּדָה אַדְּרַבָּה מִדְּרַב הוּנָא וְרַבָּנָן לֹא הֲווּ מְצַלּוּ עַד אוּרְתָּא
שְׁמַע מִינָּהּ אֵין הֲלָכָה כְּרַבִּי יְהוּדָה

2. What is the שְׁאֵלָה that רַב חִסְדָּא is trying to answer (from שִׁיעוּר כ"ד)? ______

3. How can we know the time that a תַּנָּא holds for the beginning of the זְמַן of מַעֲרִיב if he didn't say it directly? ______

4. What does the first רַאֲיָה prove? ______

5. Please explain the first רַאֲיָה. ______

6. What does the second רַאֲיָה prove? ______

7. Please explain the second רַאֲיָה. ______

8. Please translate these words the way that you would while reading this גְּמָרָא.

מִדְּרַב ______

מִדְּרַב הוּנָא וְרַבָּנָן ______

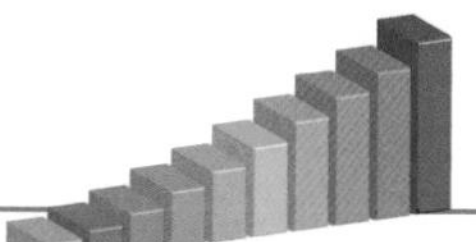

IDENTIFY THE STEPS:
BE SURE TO INCLUDE EVERY WORD.

אָמַר רַב חִסְדָּא נֶחֱזֵי אֲנַן מִדְּרַב מְצַלֵּי שֶׁל שַׁבָּת בְּעֶרֶב שַׁבָּת מִבְּעוֹד יוֹם
ש"מ הֲלָכָה כְּרַבִּי יְהוּדָה אַדְּרַבָּה מִדְּרַב הוּנָא וְרַבָּנָן לֹא הֲווּ מְצַלּוּ עַד אוּרְתָּא
שְׁמַע מִינָּהּ אֵין הֲלָכָה כְּרַבִּי יְהוּדָה

Please underline the first רַאֲיָה

Please [bracket] the second רַאֲיָה

MATCHING:

_____	1. Evening	א. רַאֲיָה
_____	2. Their davening is a proof for the חֲכָמִים	ב. שְׁאֵלָה
_____	3. A שַׁבָּת davening	ג. אוּרְתָּא
_____	4. His davening is a proof for רַבִּי יְהוּדָה	ד. רַב
_____	5. While it was still day	ה. שֶׁל שַׁבָּת
_____	6. Step 1 of the סוּגְיָא	ו. מִבְּעוֹד יוֹם
_____	7. Step 2 of the סוּגְיָא	ז. מֵימְרָא
_____	8. Step 3 of the סוּגְיָא	ח. רַב הוּנָא וְרַבָּנָן
_____	9. Step 4 of the סוּגְיָא	ט. מֵימְרָא
_____	10. Step 5 of the סוּגְיָא	י. רַאֲיָה

VOCABULARY WORDS

75. תְּלַת

76. מְסַיֵּיעַ

STEP 6

We have seen that there were אֲמוֹרָאִים who followed the שִׁיטָה of רַבִּי יְהוּדָה as well as those who followed the שִׁיטָה of the חֲכָמִים. We have not seen any definitive פְּסַק about which one is accepted as the הֲלָכָה. Therefore, the גְּמָרָא ends off the סוּגְיָא by concluding the following:

______________	הַשְׁתָּא
______ the הֲלָכָה has not been ______________	דְּלָא אִתְּמַר הִלְכְתָא
not like [this] ______________	לָא כְּמַר
and not like [this] ______________,	וְלָא כְּמַר
[someone] that did like [this] ________	דְּעָבַד כְּמַר
______________,	עֲבַד
and [someone] that did like [this] ________	וּדְעָבַד כְּמַר
______________.	עֲבַד

Believe it or not, the גְּמָרָא actually paskens that everyone can choose which שִׁיטָה he would like to keep!

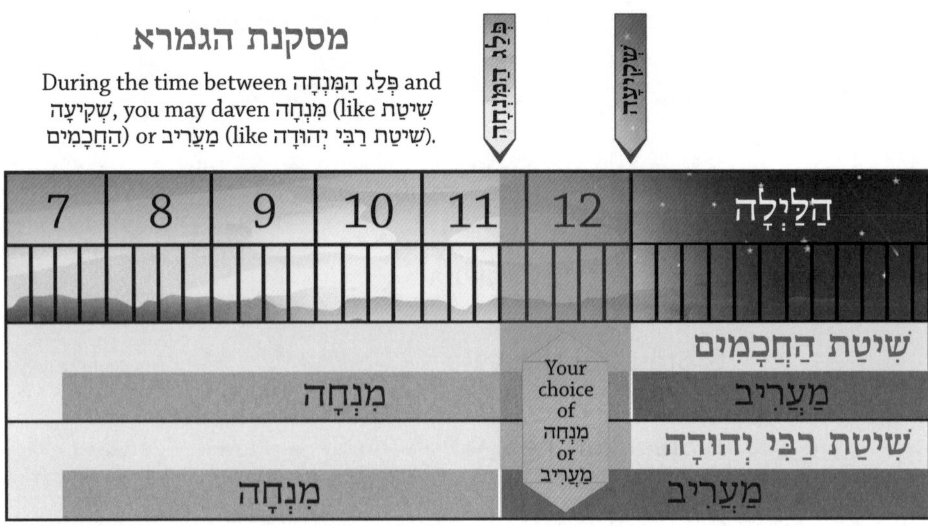

THINK A LITTLE DEEPER

In the early stages of learning גְּמָרָא, it may seem that there is only one correct way for the גְּמָרָא to be understood. This is what is commonly referred to as the "פָּשׁוּט פְּשַׁט". After learning the פָּשׁוּט פְּשַׁט, we may think that we have a clear picture of exactly what the גְּמָרָא is teaching us.

However, as you advance, you will realize that there are often times that the גְּמָרָא can be understood in more than one way, none of which is more correct than the others. Each way of learning the גְּמָרָא (called a פְּשַׁט) might be presented by one of the commentators on the גְּמָרָא (called מְפָרְשִׁים). As you move on in your גְּמָרָא learning, you will become familiar with the names of some of these מְפָרְשִׁים, such as רַשִׁ"י, רִיטְבָ"א, רַשְׁבָּ"א, רָא"שׁ and many, many others.

This שִׁיעוּר is a great example of a גְּמָרָא that can be understood in several different ways. Let's take a closer look at what the גְּמָרָא actually says:

A person may choose to follow the שִׁיטָה of the חֲכָמִים and daven מִנְחָה until evening, or he may follow the שִׁיטָה of רַבִּי יְהוּדָה and begin מַעֲרִיב from פְּלַג הַמִּנְחָה.

However, the גְּמָרָא does not clearly explain when and how often each person may choose. Once a person makes a choice, does he have to stick with it forever or can he pick a new שִׁיטָה each day? Can he switch between the two even on the same day?

To answer this question, we will learn three different פְּשָׁטִים offered by various מְפָרְשִׁים to understand our גְּמָרָא:

פְּשַׁט #1
רַבֵּינוּ יוֹנָה AND רָא"שׁ

The first פְּשַׁט in the גְּמָרָא is that each person must make a lifetime choice to follow one of the two שִׁיטוֹת. He can either be someone who follows the חֲכָמִים or someone who follows רַבִּי יְהוּדָה. However, he may not switch from one to the other. Doing so would be called a "תַּרְתֵּי דְּסַתְרֵי" (two things that contradict each other), which is unacceptable. This means that if he follows the חֲכָמִים and davens מִנְחָה until evening, he may NEVER daven מַעֲרִיב before evening. On the other hand, if he chooses to follow רַבִּי יְהוּדָה by davening מַעֲרִיב before evening, he may NEVER daven מִנְחָה after פְּלַג הַמִּנְחָה. This is the strictest understanding of the גְּמָרָא.

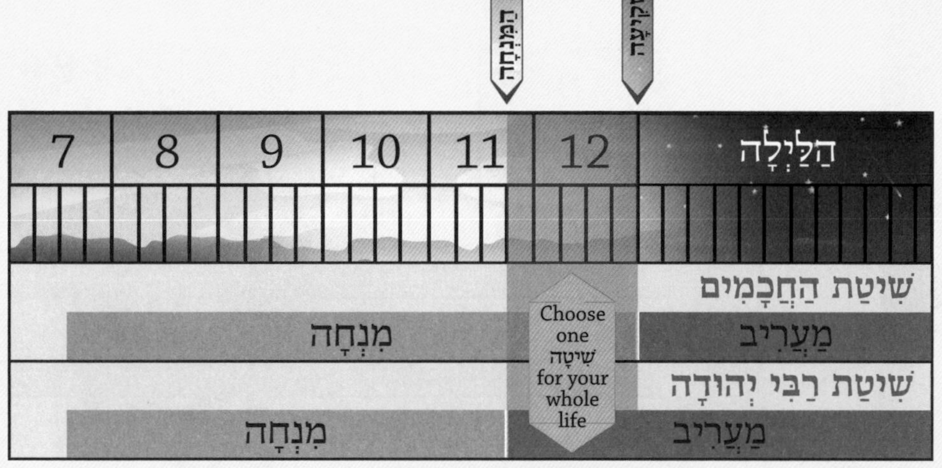

פְּשַׁט #2

תַּשְׁבֵּ"ץ IN THE NAME OF THE אֵלִיָּה רַבָּה

The second פְּשַׁט in the גְּמָרָא is more lenient. This פְּשַׁט explains that the גְּמָרָא means that each day a person can choose whether he wants to follow רַבִּי יְהוּדָה or the חֲכָמִים. For example, on Sunday afternoon, he can follow the חֲכָמִים and daven מִנְחָה after פְּלַג הַמִּנְחָה and wait for nightfall before davening מַעֲרִיב. Then, on Monday, he can follow רַבִּי יְהוּדָה and daven מִנְחָה before פְּלַג הַמִּנְחָה and מַעֲרִיב after פְּלַג הַמִּנְחָה (even before nightfall).

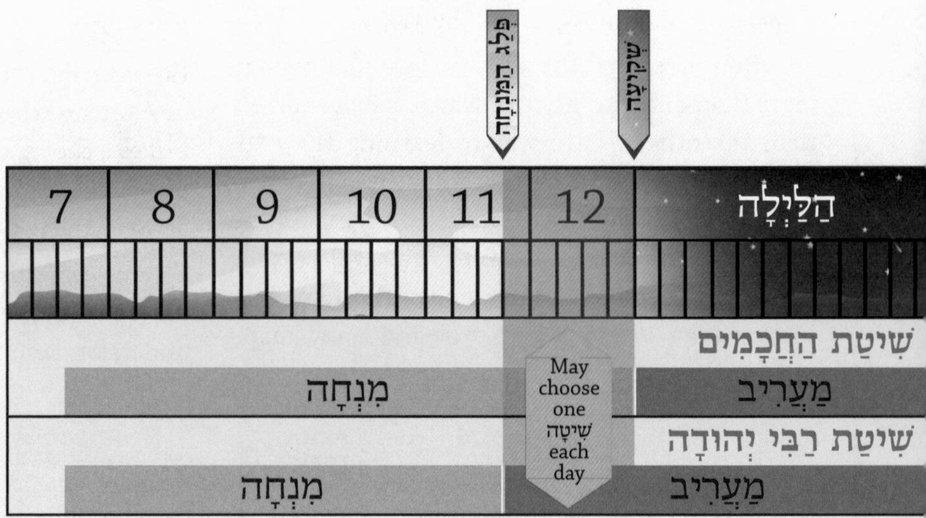

However, he may not combine the two on the same day. Meaning, he cannot daven מִנְחָה after פְּלַג הַמִּנְחָה (like the חֲכָמִים) and then, on the same day, daven מַעֲרִיב before nightfall (like רַבִּי יְהוּדָה). Once again, this would be a תַּרְתֵּי דְּסַתְרֵי.

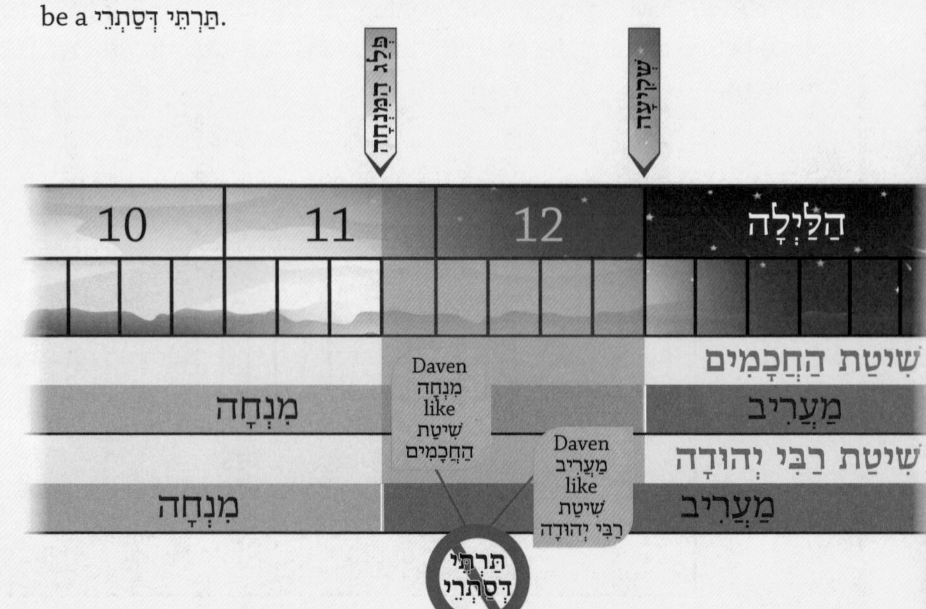

תפלת השחר
פרק רביעי
ברכות

פְּשַׁט #3
רַבֵּינוּ תַּם

The third פְּשַׁט explains that the גְמָרָא means that it is even okay if a person makes a תַּרְתֵּי דְסַתְרֵי by davening מִנְחָה after פְּלַג הַמִּנְחָה and מַעֲרִיב before nightfall. This פְּשַׁט understands the גְמָרָא to mean that a person can do either like the חֲכָמִים or like רַבִּי יְהוּדָה even on the same day.

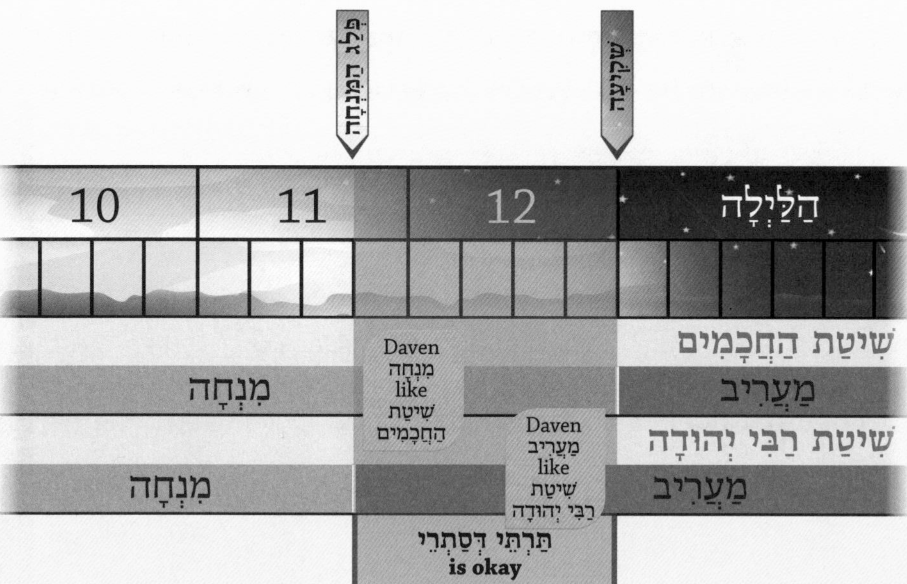

It is important to remember that deciding practical הֲלָכָה takes the great knowledge and experience of a תַּלְמִיד חָכָם. In fact, in regard to this topic, there is a lengthy discussion among the פּוֹסְקִים about which of these פְּשָׁטִים can be relied upon and in which circumstances. Therefore, even after learning all of these פְּשָׁטִים, it is still necessary to ask a רַב about the correct way to act.

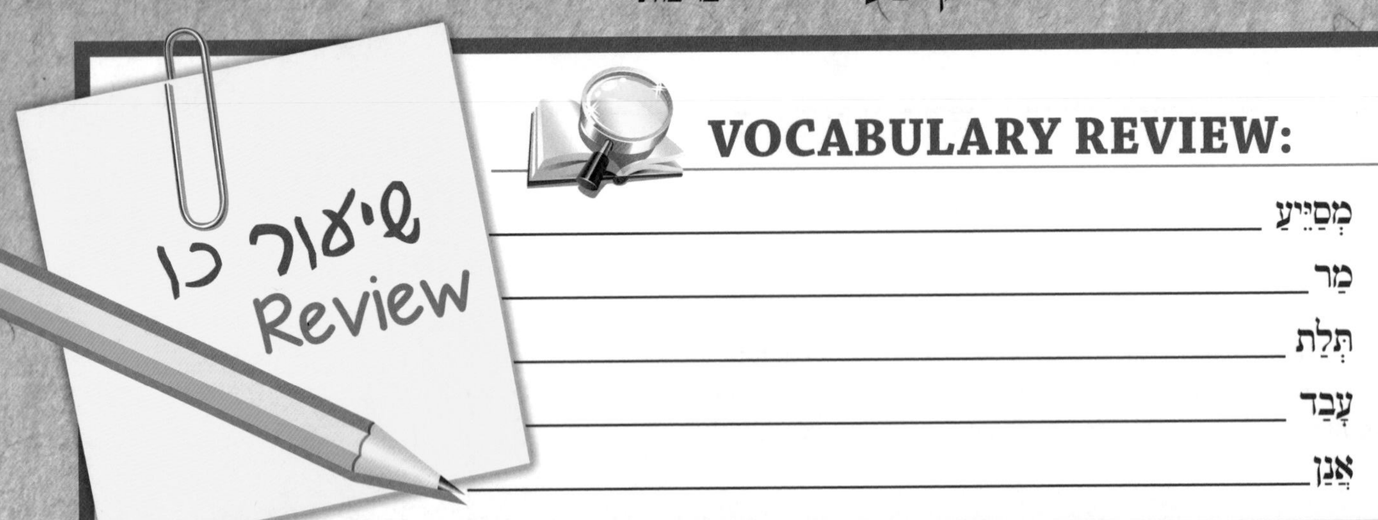

VOCABULARY REVIEW:

מְסַיֵּיעַ ______________________

כַּמַר ______________________

תְּלַת ______________________

עֲבַד ______________________

אֲנַן ______________________

PUT IT ALL TOGETHER:

1. Read, translate and explain the following גְּמָרָא.

הַשְׁתָּא דְּלֹא אִתְּמַר הִלְכְתָא לֹא כְּמַר
וְלֹא כְּמַר ח׳דְּעָבַד כְּמַר עָבַד וּדְעָבַד כְּמַר עָבַד

2. What is a תַּרְתֵּי דְּסַתְרֵי? ______________________

____

3. Please explain the three opinions concerning a person who wants to switch between the שִׁיטוֹת of רַבִּי יְהוּדָה and the חֲכָמִים.

א. ______________________

____

ב. ______________________

____

ג. ______________________

____

TAKE IT APART:

הַשְׁתָּא דְּלָא אִתְּמַר הִלְכְתָא לָא כְּמַר
וְלָא כְּמַר ח׳דְּעָבַד כְּמַר עָבַד וּדְעָבַד כְּמַר עָבַד

1. This step of גְּמָרָא is a ________________.

2. Please explain what the גְּמָרָא is teaching us in this step. ________________________

____

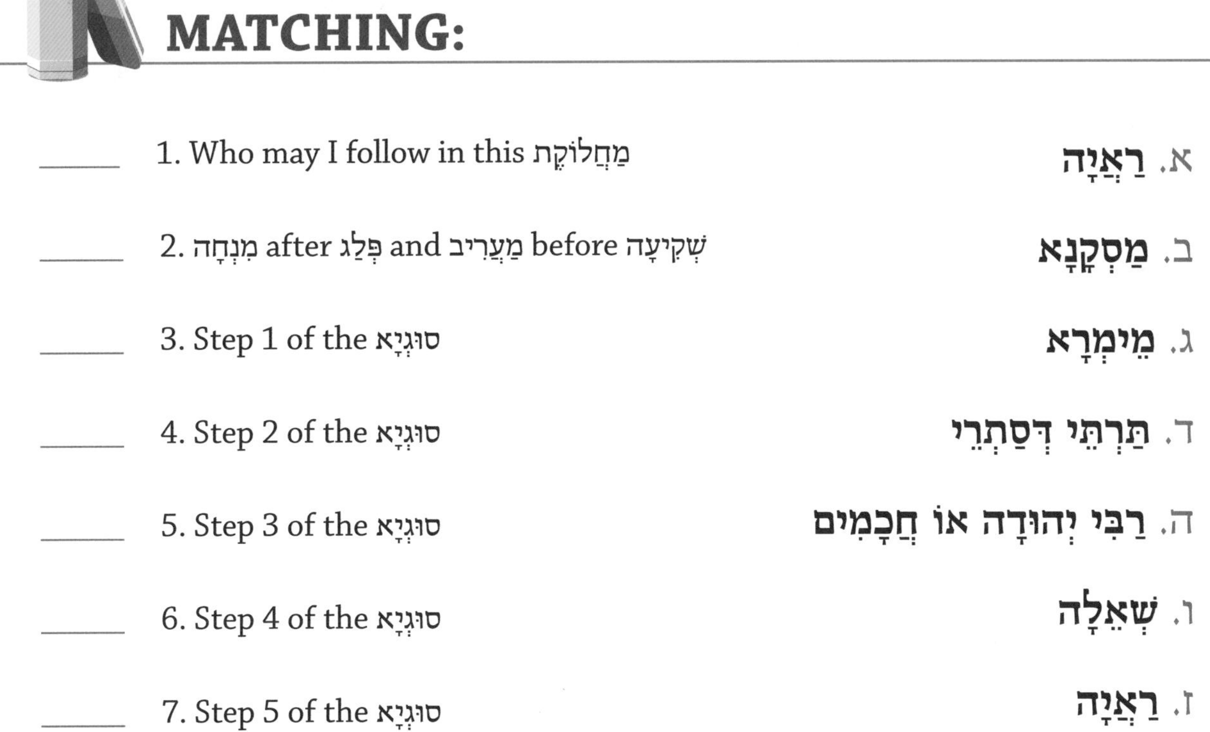

MATCHING:

_____	1. Who may I follow in this מַחֲלוֹקֶת	א. רַאֲיָה
_____	2. מִנְחָה after פְּלַג and מַעֲרִיב before שְׁקִיעָה	ב. מַסְקָנָא
_____	3. Step 1 of the סוּגְיָא	ג. מֵימְרָא
_____	4. Step 2 of the סוּגְיָא	ד. תַּרְתֵּי דְּסַתְרֵי
_____	5. Step 3 of the סוּגְיָא	ה. רַבִּי יְהוּדָה אוֹ חֲכָמִים
_____	6. Step 4 of the סוּגְיָא	ו. שְׁאֵלָה
_____	7. Step 5 of the סוּגְיָא	ז. רַאֲיָה
_____	8. Step 6 of the סוּגְיָא	ח. מֵימְרָא

The סוגיא to this point

שיעורים כד-כו

NUMBER THE STEPS:

PLACE A SMALL NUMBER AT THE BEGINNING OF EACH STEP

(example: [1]תְּפִלַּת הַמִּנְחָה)

תְּפִלַּת הַמִּנְחָה
עַד הָעֶרֶב וְכוּ': אָמַר לֵיהּ רַב חִסְדָּא לְרַב יִצְחָק הָתָם אָמַר רַב כַּהֲנָא הֲלָכָה כְּרַבִּי
יְהוּדָה הוֹאִיל וּתְנַן בִּבְחִירְתָא כְּוָותֵיהּ הָכָא מַאי אִישְׁתִּיק וְלֹא אָמַר לֵיהּ וְלֹא
מִידֵּי אָמַר רַב חִסְדָּא נֶחֱזֵי אֲנַן מִדְּרַב מְצַלֵּי שֶׁל שַׁבָּת בְּעֶרֶב שַׁבָּת מִבְּעוֹד יוֹם
ש"מ הֲלָכָה כְּרַבִּי יְהוּדָה אַדְּרַבָּה מִדְּרַב הוּנָא וְרַבָּנָן לֹא הֲווּ מְצַלּוּ עַד אוּרְתָּא
שְׁמַע מִינָּהּ אֵין הֲלָכָה כְּרַבִּי יְהוּדָה הַשְׁתָּא דְּלֹא אִתְּמַר הִלְכְתָא לֹא כְּמַר
וְלֹא כְּמַר [ח]דְּעָבַד כְּמַר עָבַד וּדְעָבַד כְּמַר עָבַד

VOCABULARY MATCHING:

_____	1. Who is it	א. נָפַק
_____	2. Went out	ב. הָא
_____	3. Master/sir	ג. מְסַיַּיע
_____	4. This/but	ד. תְּלַת
_____	5. We learned in a מִשְׁנָה	ה. מַר
_____	6. Now	ו. עָבַד
_____	7. He did/he made	ז. הַשְׁתָּא
_____	8. Three	ח. תְּנַן
_____	9. It is a proof	ט. צַפְרָא
_____	10. Morning	י. מַנִּי

LABEL AND SUMMARIZE:

For each step, write what type of step it is and a brief explanation.

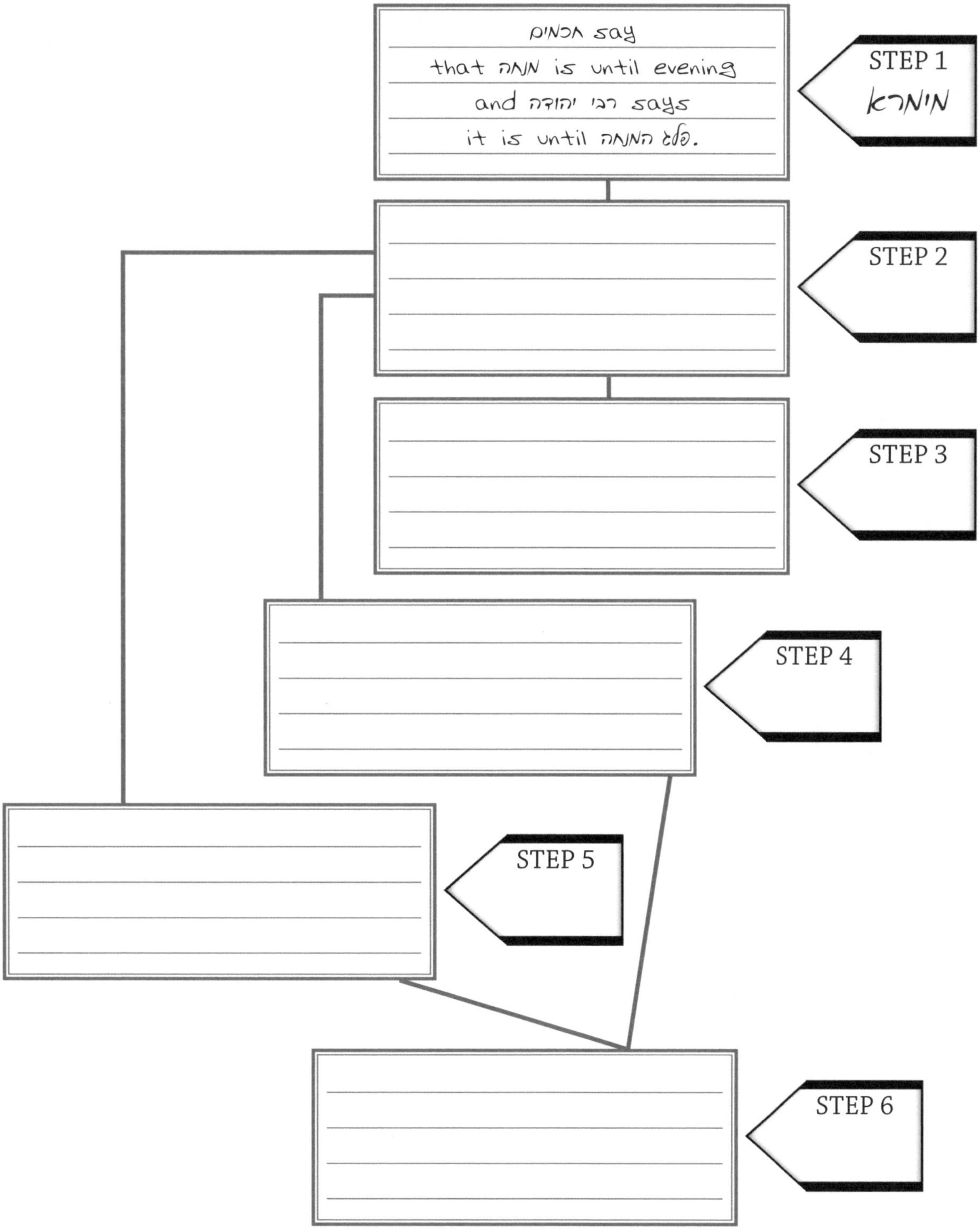

STEP 1
מימרא
חכמים say that מנחה is until evening and רבי יהודה says it is until פלג המנחה.

STEP 2

STEP 3

STEP 4

STEP 5

STEP 6

שיעור כז
כז. lines 43-47

STEP 1

The גְּמָרָא begins a new but connected סוּגְיָא with the following story:

רַב arrived	רַב אִיקְלַע
to the house of גְּנִיבָא	לְבֵי גְּנִיבָא
and he davened a שַׁבָּת davening	וְצַלֵּי שֶׁל שַׁבָּת
on עֶרֶב שַׁבָּת.	בְּעֶרֶב שַׁבָּת
And רַבִּי יִרְמְיָה בַּר אַבָּא (a student of רַב) was davening	וַהֲוָה מְצַלֵּי רַבִּי יִרְמְיָה בַּר אַבָּא
behind רַב	לַאֲחוֹרֵיהּ דְּרַב
and רַב finished [davening]	וְסַיֵּים רַב
and he did not interrupt	וְלֹא פַּסְקֵיהּ
the תְּפִלָּה of רַבִּי יִרְמְיָה [by walking in front of him].	לִצְלוֹתֵיהּ דְּרַבִּי יִרְמְיָה
______________________ [for] _____ [things].	שְׁמַע מִינָּהּ תְּלָת

The גְּמָרָא has told us the story and has informed us that the story will prove three different הֲלָכוֹת. Now the גְּמָרָא will list those three:

STEP 2

The first thing that we can prove from the story:

______________________	שְׁמַע מִינָּהּ
a man may daven a שַׁבָּת davening	מִתְפַּלֵּל אָדָם שֶׁל שַׁבָּת
on עֶרֶב שַׁבָּת.	בְּעֶרֶב שַׁבָּת

In the above story, רַב davened a שַׁבָּת davening on עֶרֶב שַׁבָּת. If an אֲמוֹרָא as great as רַב did it, it is certainly an acceptable practice.

תפלת השחר
פרק רביעי
ברכות

STEP 3

The second thing that we can prove from the story:

And ___________________	וּשְׁמַע מִינָּהּ
a תַּלְמִיד may daven	מִתְפַּלֵּל תַּלְמִיד
behind his רַבִּי.	אֲחוֹרֵי רַבּוֹ

Once again, we learn from the actions of the אֲמוֹרָאִים. If רַבִּי יִרְמְיָה בַּר אַבָּא davened behind רַב (his רַבִּי), clearly it is permissible for a תַּלְמִיד to do so.

STEP 4

The third thing that we can prove from the story:

And ___________________	וּשְׁמַע מִינָּהּ
it is forbidden to pass	אָסוּר לַעֲבוֹר
in front of people who are davening.	כְּנֶגֶד הַמִּתְפַּלְּלִין

In this instance, we learn from what רַב did NOT do. From the fact that he specifically avoided walking in front of someone who was davening, we learn that this is something that we, too, may not do.

Now that we have proven that the הֲלָכָה is that a person may not walk in front of someone who is davening, we will see that there was an אֲמוֹרָא who had taught this before and now has a proof for his teaching.

____________________ ________________	מְסַיֵּיעַ לֵיהּ
for רַבִּי יְהוֹשֻׁעַ בֶּן לֵוִי,	לְרַבִּי יְהוֹשֻׁעַ בֶּן לֵוִי
____________ רַבִּי יְהוֹשֻׁעַ בֶּן לֵוִי said,	דְּאָמַר רַבִּי יְהוֹשֻׁעַ בֶּן לֵוִי
It is forbidden to pass	אָסוּר לַעֲבוֹר
in front of people who are davening.	כְּנֶגֶד הַמִּתְפַּלְּלִין

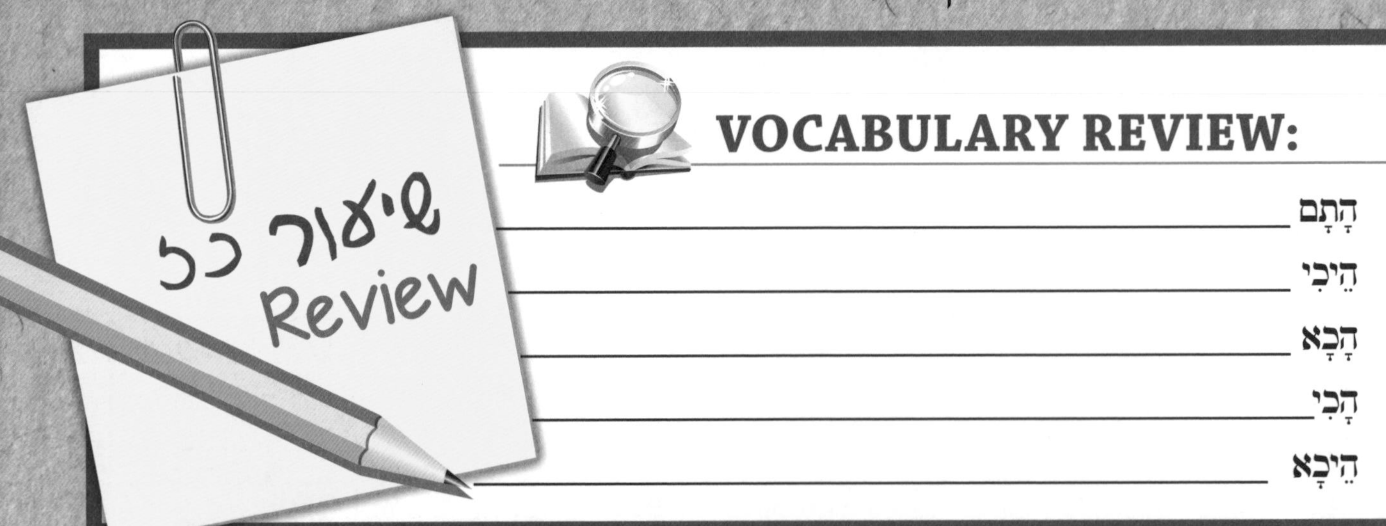

VOCABULARY REVIEW:

הָתָם ______

הֵיכִי ______

הָכָא ______

הָכִי ______

הֵיכָא ______

PUT IT ALL TOGETHER:

1. Read, translate and explain the following גְּמָרָא.

רַב אִיקְלַע לְבֵי גְּנִיבָא וְצַלֵּי שֶׁל
שַׁבָּת בְּעֶרֶב שַׁבָּת וַהֲוָה מְצַלֵּי רַבִּי יִרְמְיָה בַּר אַבָּא לַאֲחוֹרֵיהּ דְּרַב וְסַיֵּים רַב
וְלֹא פַּסְקֵיהּ לִצְלוֹתֵיהּ דְּרַבִּי יִרְמְיָה שְׁמַע מִינָּהּ תְּלָת שְׁמַע מִינָּהּ מִתְפַּלֵּל אָדָם
שֶׁל שַׁבָּת בְּעֶרֶב שַׁבָּת וּשְׁמַע מִינָּהּ מִתְפַּלֵּל תַּלְמִיד אֲחוֹרֵי רַבּוֹ וּשְׁמַע
מִינָּהּ אָסוּר לַעֲבוֹר כְּנֶגֶד הַמִּתְפַּלְּלִין מְסַיֵּיעַ לֵיהּ לְרַבִּי יְהוֹשֻׁעַ בֶּן לֵוִי דְּאָמַר
רַבִּי יְהוֹשֻׁעַ בֶּן לֵוִי אָסוּר לַעֲבוֹר כְּנֶגֶד הַמִּתְפַּלְּלִין

2. Briefly tell the story about רַב. ______

______

______

3. Which 3 הֲלָכוֹת were we able to prove from this story?

א. ______

______

ב. ______

______

ג. ______

______

4. Which חָכָם had previously taught us the third הֲלָכָה? ______

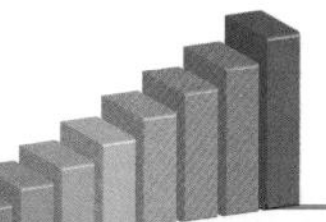

IDENTIFY THE STEPS:

BE SURE TO INCLUDE EVERY WORD.

רַב אִיקְלַע לְבֵי גְּנִיבָא וְצַלֵּי שֶׁל
שַׁבָּת בְּעֶרֶב שַׁבָּת וַהֲוָה מְצַלֵּי רַבִּי יִרְמְיָה בַּר אַבָּא לַאֲחוֹרֵיהּ דְּרַב וְסִיֵּים רַב
וְלֹא פַּסְקֵיהּ לִצְלוֹתֵיהּ דְּרַבִּי יִרְמְיָה שְׁמַע מִינָּהּ תְּלָת שְׁמַע מִינָּהּ [ט]מִתְפַּלֵּל אָדָם
שֶׁל שַׁבָּת בְּעֶרֶב שַׁבָּת וּשְׁמַע מִינָּהּ מִתְפַּלֵּל תַּלְמִיד אֲחוֹרֵי רַבּוֹ וּשְׁמַע
מִינָּהּ אָסוּר לַעֲבוֹר כְּנֶגֶד הַמִּתְפַּלְּלִין מְסַיֵּיעַ לֵיהּ לְרַבִּי יְהוֹשֻׁעַ בֶּן לֵוִי דְּאָמַר
רַבִּי יְהוֹשֻׁעַ בֶּן לֵוִי אָסוּר לַעֲבוֹר כְּנֶגֶד הַמִּתְפַּלְּלִין

1. Please put **lines** (|) in between each step of the above גְּמָרָא.
2. On the following lines, please write what type each step is (example: מֵימְרָא, קַשְׁיָא, תֵּירוּץ, etc.)

א. __________ ב. __________ ג. __________ ד. __________

WHO AM I?

For each statement, circle the correct person.

1. (ד) (ג) (ב) (א) I hosted רַב.
2. (ד) (ג) (ב) (א) I did not interrupt my תַּלְמִיד's davening.
3. (ד) (ג) (ב) (א) I davened a שַׁבָּת davening on עֶרֶב שַׁבָּת.
4. (ד) (ג) (ב) (א) I davened behind my רֶבִּי.
5. (ד) (ג) (ב) (א) My actions prove the first thing that the גְּמָרָא proves.
6. (ד) (ג) (ב) (א) My actions prove the second thing that the גְּמָרָא proves.
7. (ד) (ג) (ב) (א) My actions prove the third thing that the גְּמָרָא proves.
8. (ד) (ג) (ב) (א) I had previously taught that one may not walk in front of someone who is davening.

שיעור
כח
.כז lines 47-49

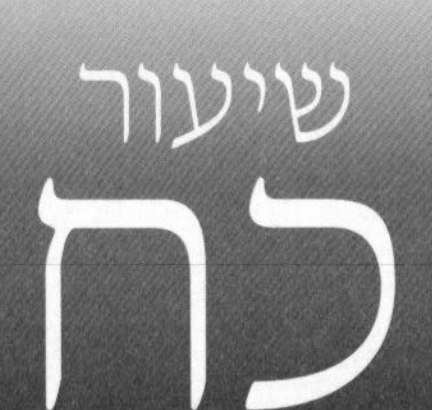

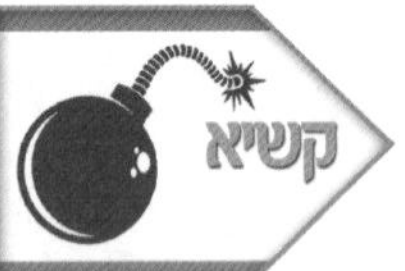

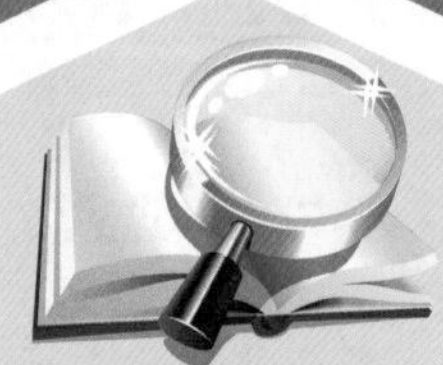

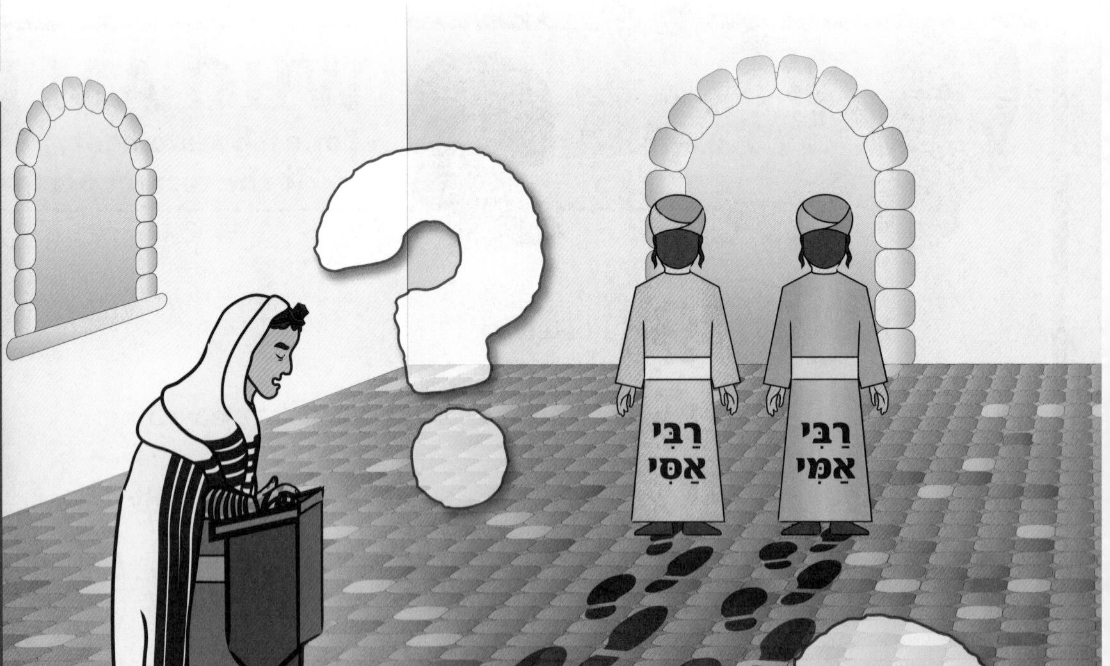

VOCABULARY WORDS

77. אֵינִי

78. שָׁנָה

STEP 5

In the last שִׁיעוּר, we brought a proof for רַבִּי יְהוֹשֻׁעַ בֶּן לֵוִי who had taught that it is אָסוּר to walk in front of someone who is davening. Having established this as the הֲלָכָה, the גְּמָרָא now asks a קֻשְׁיָא:

________________________	אֵינִי
and ____________________	וְהָא
רַבִּי אַמִּי and רַבִּי אַסִּי passed [in front of people who were davening]?!	רַבִּי אַמִּי וְרַבִּי אַסִּי חַלְפֵי

If this statement of רַבִּי יְהוֹשֻׁעַ בֶּן לֵוִי was accepted as הֲלָכָה, how could the גְּדוֹלִים of a later generation violate it?

תפלת השחר
פרק רביעי
ברכות

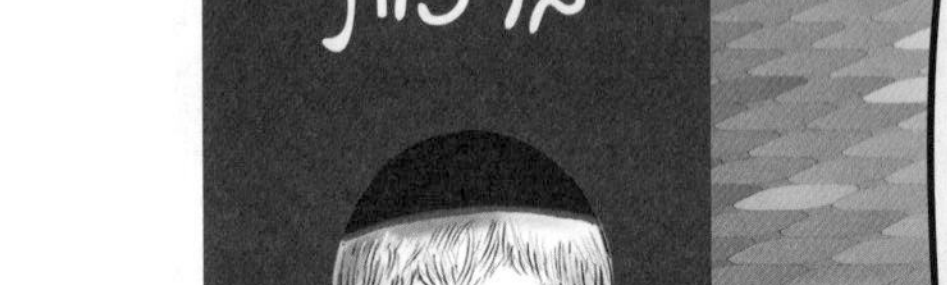

STEP 6

The גְּמָרָא explains that רַבִּי אַמִּי and רַבִּי אַסִּי did not really violate the teaching of רַבִּי יְהוֹשֻׁעַ בֶּן לֵוִי:

רַבִּי אַמִּי and רַבִּי אַסִּי	רַבִּי אַמִּי וְרַבִּי אַסִּי
outside four אַמּוֹת (more than four אַמּוֹת away)	חוּץ לְאַרְבַּע אַמּוֹת
it is [where] they passed	הוּא דְּחַלְפֵי

רַבִּי יְהוֹשֻׁעַ בֶּן לֵוִי taught that it is אָסוּר to walk <u>within</u> four אַמּוֹת of the מִתְפַּלֵּל, and our הֲוָה אַמִינָא was that רַבִּי אַמִּי and רַבִּי אַסִּי did just that. However, the גְּמָרָא corrects this with the מַסְקָנָא that, in fact, they were <u>more than</u> four אַמּוֹת from the מִתְפַּלֵּל.

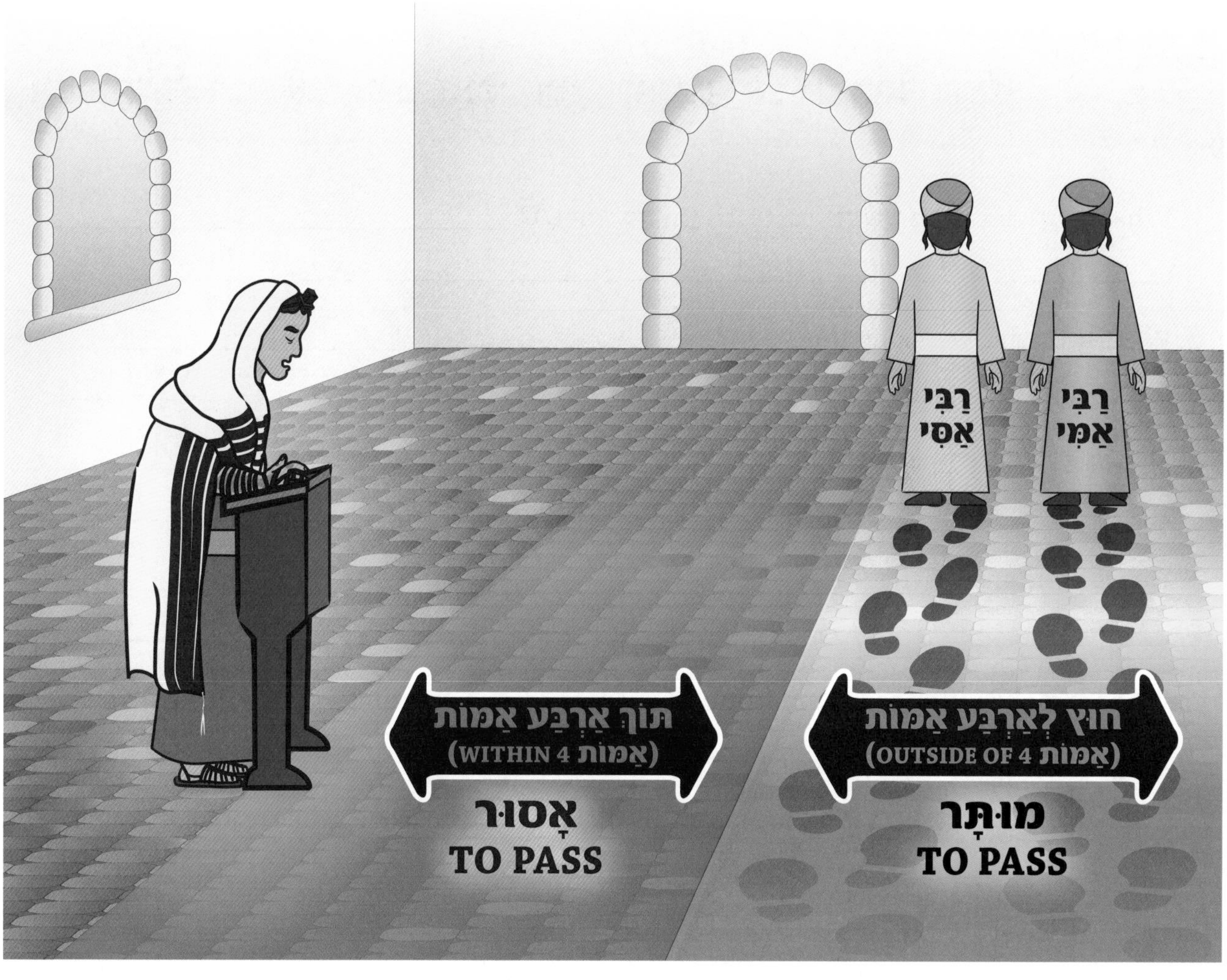

רַבִּי אַסִּי
רַבִּי אַמִּי
תּוֹךְ אַרְבַּע אַמּוֹת
(WITHIN 4 אַמּוֹת)
אָסוּר TO PASS
חוּץ לְאַרְבַּע אַמּוֹת
(OUTSIDE OF 4 אַמּוֹת)
מוּתָּר TO PASS

VOCABULARY REVIEW:

תְּלַת ______

מַר ______

מְסַיֵּיעַ ______

אֵינִי ______

שָׁנָה ______

PUT IT ALL TOGETHER:

1. Read, translate and explain the following גְּמָרָא.

אֵינִי וְהָא רַבִּי אַמִּי וְרַבִּי אַסִּי חָלְפֵי רַבִּי אַמִּי וְרַבִּי אַסִּי חוּץ לְאַרְבַּע אַמּוֹת הוּא דְּחָלְפֵי

2. What הֲלָכָה did רַבִּי יְהוֹשֻׁעַ בֶּן לֵוִי teach (in שִׁיעוּר כ״ז)? ______

3. What קָשְׁיָא did we ask on this הֲלָכָה? ______

4. On what הֲוָה אַמִינָא is the קָשְׁיָא based? ______

5. How did we answer the קָשְׁיָא? ______

6. When is it permitted to pass in front of someone who is davening?

______

7. Please translate these words the way that you would while reading this גְּמָרָא.

וְהָא ______

הוּא דְּחָלְפֵי ______

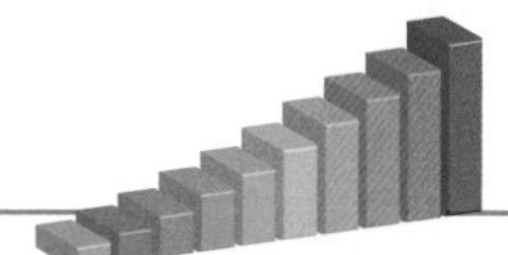

IDENTIFY THE STEPS:
BE SURE TO INCLUDE EVERY WORD.

אֵינִי וְהָא רַבִּי אַמִּי וְרַבִּי
אַסִּי חָלְפֵי רַבִּי אַמִּי וְרַבִּי אַסִּי חוּץ לְאַרְבַּע אַמּוֹת הוּא דְּחָלְפֵי

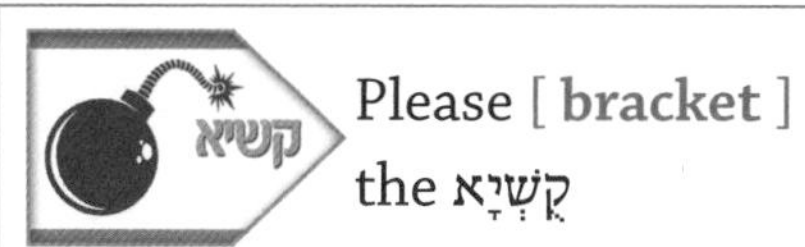

Please [**bracket**] the קֻשְׁיָא

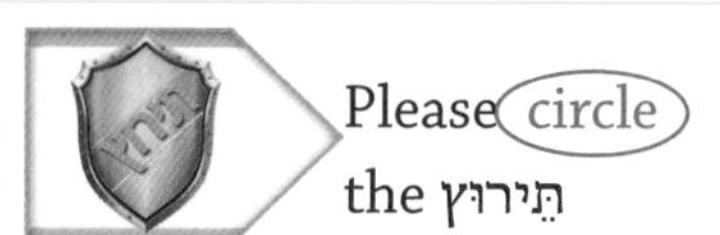

Please (circle) the תֵּירוּץ

MATCHING:

_____	1. Step 1 of the סוּגְיָא	א. קֻשְׁיָא
_____	2. Step 2 of the סוּגְיָא	ב. הֲוָה אַמִינָא
_____	3. Step 3 of the סוּגְיָא	ג. חוּץ לְאַרְבַּע אַמּוֹת
_____	4. Step 4 of the סוּגְיָא	ד. מֵימְרָא
_____	5. Step 5 of the סוּגְיָא	ה. מַסְקָנָא
_____	6. Step 6 of the סוּגְיָא	ו. רַבִּי יְהוֹשֻׁעַ בֶּן לֵוִי
_____	7. They passed	ז. תּוֹךְ אַרְבַּע אַמּוֹת
_____	8. Where it is אָסוּר to walk in front of a מִתְפַּלֵּל	ח. תֵּירוּץ
_____	9. רַבִּי אַמִּי וְרַבִּי אַסִּי walked within 4 אַמּוֹת of the מִתְפַּלֵּל	ט. רַאֲיָה
_____	10. His statement is proven from the story of רַב	י. רַאֲיָה
_____	11. Where it is מוּתָּר to walk in front of a מִתְפַּלֵּל	יא. חָלְפֵי
_____	12. רַבִּי אַמִּי וְרַבִּי אַסִּי walked 4 אַמּוֹת away from the מִתְפַּלֵּל	יב. רַאֲיָה

שיעור כט

כז. line 49 -
כז: line 6

VOCABULARY WORDS

79. שַׁאנִי

80. אֵין\אִין

STEP 7

Now the גְּמָרָא will return to the second thing that was proven from רַב (that a תַּלְמִיד may daven behind his רֶבִּי). This was proven from the actions of רַבִּי יִרְמְיָה בַּר אַבָּא. The גְּמָרָא will now ask a קֻשְׁיָא on what he did:

And רַבִּי יִרְמְיָה [בַּר אַבָּא]	וְרַבִּי יִרְמְיָה
_________ did he do _______________?	הֵיכִי עֲבִיד הָכִי
But [didn't] רַב יְהוּדָה say in the name of רַב	וְהָא אָמַר רַב יְהוּדָה אָמַר רַב
Always	לְעוֹלָם
a man should not daven	אַל יִתְפַּלֵּל אָדָם
not opposite his רֶבִּי (side by side)	לֹא כְּנֶגֶד רַבּוֹ
and not behind his רֶבִּי!	וְלֹא אֲחוֹרֵי רַבּוֹ

As we have clearly seen, רַב (the very one behind whom רַבִּי יִרְמְיָה בַּר אַבָּא davened) had said that a תַּלְמִיד may not daven behind his רֶבִּי.

As if that wasn't a strong enough קֻשְׁיָא, we will now see that it was even taught in a בְּרַיְיתָא that a תַּלְמִיד may not do this:

And ______________________________	וְתַנְיָא
רַבִּי אֱלִיעֶזֶר says,	**רַבִּי אֱלִיעֶזֶר אוֹמֵר**
One who davens behind his רֶבִּי	**הַמִּתְפַּלֵּל אֲחוֹרֵי רַבּוֹ**
and one who says "שָׁלוֹם עֲלֵיכֶם" to his רֶבִּי (without saying "שָׁלוֹם עֲלֵיכֶם רֶבִּי")	**וְהַנּוֹתֵן שָׁלוֹם לְרַבּוֹ**
and one who responds "עֲלֵיכֶם שָׁלוֹם" to his רֶבִּי (without saying "עֲלֵיכֶם שָׁלוֹם רֶבִּי")	**וְהַמַּחֲזִיר שָׁלוֹם לְרַבּוֹ**
and one who separates from the יְשִׁיבָה of his רֶבִּי (he opens a competing יְשִׁיבָה)	**וְהַחוֹלֵק עַל יְשִׁיבָתוֹ שֶׁל רַבּוֹ**
and one who says something	**וְהָאוֹמֵר דָּבָר**
that he did not hear from his רֶבִּי	**שֶׁלֹּא שָׁמַע מִפִּי רַבּוֹ**
he causes the שְׁכִינָה [of ה']	**גּוֹרֵם לַשְּׁכִינָה**
to be removed from כְּלַל יִשְׂרָאֵל!	**שֶׁתִּסְתַּלֵּק מִיִּשְׂרָאֵל**

How could רַבִּי יִרְמְיָה do something that his own רֶבִּי AND a בְּרַיְיתָא both spoke against!?

תפלת השחר
פרק רביעי
ברכות

STEP 8

The גְּמָרָא's answer to this קֻשְׁיָא is very drastic. Not only does the תֵּירוּץ answer the קֻשְׁיָא, it also changes what we had previously proven to be the הֲלָכָה (that a תַּלְמִיד may daven behind his רֶבִּי):

רַבִּי יִרְמְיָה בַּר אַבָּא was ______________________	שַׁאנִי רַבִּי יִרְמְיָה בַּר אַבָּא
______________ he was a friend-תַּלְמִיד. (a תַּלְמִיד who is closer to his רֶבִּי's level than a regular תַּלְמִיד)	דְּתַלְמִיד חָבֵר הֲוָה

When we originally heard that רַבִּי יִרְמְיָה בַּר אַבָּא davened behind רַב (his רֶבִּי), we thought that we had a proof that any תַּלְמִיד may do so. This is not so! The גְּמָרָא tells us that only a תַּלְמִיד חָבֵר (such as רַבִּי יִרְמְיָה בַּר אַבָּא) may daven behind his רֶבִּי. This explains why רַבִּי יִרְמְיָה בַּר אַבָּא was allowed to daven behind רַב even though רַב himself had taught that a תַּלְמִיד may not do so.

BY THE WAY

Both רַב and the בְּרַיְיתָא mentioned several things that are inappropriate for a תַּלְמִיד to do. Here are some reasons why these things are not okay:

Davening side by side with your רֶבִּי –
You are making it seem as if you and your רֶבִּי are equal.

Davening behind your רֶבִּי –
You are making it seem as if you are חַס וְשָׁלוֹם davening to your רֶבִּי and not to ה׳ (that would be עֲבוֹדָה זָרָה).

Saying "שָׁלוֹם עֲלֵיכֶם" or "עֲלֵיכֶם שָׁלוֹם" to your רֶבִּי (without saying "רֶבִּי") –
You are making it seem as if you and your רֶבִּי are equal.

Separating from the יְשִׁיבָה of your רֶבִּי –
You are making it seem that you don't need your רֶבִּי anymore and people should learn from you and not him.

Saying something that you did not hear from your רֶבִּי –
People will assume that you did hear it from him and will inaccurately quote him.

שיעור כ Review

PUT IT ALL TOGETHER:

1. Read, translate and explain the following גְּמָרָא.

וְרַבִּי יִרְמְיָה

הֵיכִי עָבִיד הָכִי וְהָא אָמַר רַב יְהוּדָה אָמַר רַב לְעוֹלָם אַל יִתְפַּלֵּל אָדָם

לֹא [א]כְּנֶגֶד רַבּוֹ וְלֹא אֲחוֹרֵי רַבּוֹ וְתַנְיָא רַבִּי
אֱלִיעֶזֶר אוֹמֵר הַמִּתְפַּלֵּל אֲחוֹרֵי רַבּוֹ [ב]וְהַנּוֹתֵן
שָׁלוֹם לְרַבּוֹ וְהַמַּחֲזִיר שָׁלוֹם לְרַבּוֹ* [ג]וְהַחוֹלֵק
עַל יְשִׁיבָתוֹ שֶׁל רַבּוֹ וְהָאוֹמֵר *[ד]דָּבָר שֶׁלֹּא שָׁמַע
מִפִּי רַבּוֹ גּוֹרֵם לַשְּׁכִינָה שֶׁתִּסְתַּלֵּק מִיִּשְׂרָאֵל
שָׁאנִי רַבִּי יִרְמְיָה בַּר אַבָּא [ה]דְּתַלְמִיד חָבֵר הֲוָה

2. Please underline the words of רַב.

3. Please [bracket] the בְּרַיְיתָא.

4. What did רַבִּי יִרְמְיָה בַּר אַבָּא do which caused us to have a קֻשְׁיָא? ______________________

____

5. What did רַב say that caused us to have a קֻשְׁיָא on רַבִּי יִרְמְיָה בַּר אַבָּא? ______________________

____

6. According to רַבִּי אֱלִיעֶזֶר, which five things cause the שְׁכִינָה to be removed from כְּלַל יִשְׂרָאֵל?

א. ____

ב. ____

ג. ____

ד. ____

ה. ____

7. How did we answer the קֻשְׁיָא? ______________________

____

8. What is a תַּלְמִיד חָבֵר? ______________________

____

VOCABULARY REVIEW:

אֵין ______________________ שַׁאנִי ______________________

מְסַיֵּיעַ ______________________ אֵינִי ______________________

שָׁנָה ______________________

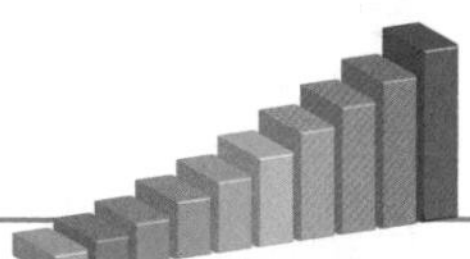

IDENTIFY THE STEPS:

BE SURE TO INCLUDE EVERY WORD.

וְרַבִּי יִרְמְיָה
הֵיכִי עָבִיד הָכִי וְהָא אָמַר רַב יְהוּדָה אָמַר רַב לְעוֹלָם אַל יִתְפַּלֵּל אָדָם

לֹא [א]כְּנֶגֶד רַבּוֹ וְלֹא אֲחוֹרֵי רַבּוֹ וְתַנְיָא רַבִּי
אֱלִיעֶזֶר אוֹמֵר הַמִּתְפַּלֵּל אֲחוֹרֵי רַבּוֹ [ב]וְהַנּוֹתֵן
שָׁלוֹם לְרַבּוֹ [ס]וְהַמַּחֲזִיר שָׁלוֹם לְרַבּוֹ* [ג]וְהַחוֹלֵק
עַל יְשִׁיבָתוֹ שֶׁל רַבּוֹ וְהָאוֹמֵר *[ד]דָּבָר שֶׁלֹּא שָׁמַע
מִפִּי רַבּוֹ גּוֹרֵם לַשְּׁכִינָה שֶׁתִּסְתַּלֵּק מִיִּשְׂרָאֵל
שַׁאנִי רַבִּי יִרְמְיָה בַּר אַבָּא [ס][ה]דְּתַלְמִיד חָבֵר הֲוָה

Please underline the קֻשְׁיָא

Please [bracket] the תֵּירוּץ

MATCHING:

_____	1. Who said that a תַּלְמִיד may not daven behind his רֶבִּי?	א. קֻשְׁיָא
_____	2. Step 7 of the סוּגְיָא	ב. תַּלְמִיד חָבֵר
_____	3. Who may daven behind his רֶבִּי	ג. רַבִּי אֱלִיעֶזֶר וְרַב
_____	4. What goes away because because תַּלְמִידִים act improperly towards their רֶבִּי?	ד. הַמִּתְפַּלֵּל אֲחוֹרֵי רַבּוֹ
_____	5. We thought it was always okay but it really depends	ה. תַּלְמִיד A regular
_____	6. Step 8 of the סוּגְיָא	ו. הַשְּׁכִינָה
_____	7. Who may not daven behind his רֶבִּי	ז. תֵּירוּץ

The סוגיא to this point

שיעורים כז-כט

NUMBER THE STEPS:

PLACE A SMALL NUMBER AT THE BEGINNING OF EACH STEP

(example: [1]רַב אִיקְלַע)

רַב אִיקְלַע לְבֵי גְּנִיבָא וְצַלֵּי שֶׁל
שַׁבָּת בְּעֶרֶב שַׁבָּת וַהֲוָה מְצַלֵּי רַבִּי יִרְמְיָה בַּר אַבָּא °לַאֲחוֹרֵיהּ דְּרַב וְסַיֵּים רַב
וְלֹא פַּסְקֵיהּ לִצְלוֹתֵיהּ דְּרַבִּי יִרְמְיָה שְׁמַע מִינָּהּ תְּלָת שְׁמַע מִינָּהּ [ט]מִתְפַּלֵּל אָדָם
שֶׁל שַׁבָּת בְּעֶרֶב שַׁבָּת וּשְׁמַע מִינָּהּ מִתְפַּלֵּל תַּלְמִיד אֲחוֹרֵי רַבּוֹ וּשְׁמַע
מִינָּהּ [י]אָסוּר לַעֲבוֹר כְּנֶגֶד הַמִּתְפַּלְּלִין מְסַיֵּיעַ לֵיהּ לְרַבִּי יְהוֹשֻׁעַ בֶּן לֵוִי דְּאָמַר
רַבִּי יְהוֹשֻׁעַ בֶּן לֵוִי אָסוּר לַעֲבוֹר כְּנֶגֶד הַמִּתְפַּלְּלִין אֵינִי וְהָא רַבִּי אַמִּי וְרַבִּי
אַסִּי חָלְפֵי רַבִּי אַמִּי וְרַבִּי אַסִּי חוּץ לְאַרְבַּע אַמּוֹת הוּא דְּחָלְפֵי וְרַבִּי יִרְמְיָה
הֵיכִי עָבִיד הָכִי וְהָא אָמַר רַב יְהוּדָה אָמַר רַב לְעוֹלָם אַל יִתְפַּלֵּל אָדָם

לֹא [א]כְּנֶגֶד רַבּוֹ וְלֹא אֲחוֹרֵי רַבּוֹ וְתַנְיָא רַבִּי
אֱלִיעֶזֶר אוֹמֵר הַמִּתְפַּלֵּל אֲחוֹרֵי רַבּוֹ [ב]וְהַנּוֹתֵן
שָׁלוֹם לְרַבּוֹ °וְהַמַּחֲזִיר שָׁלוֹם לְרַבּוֹ* [ג]וְהַחוֹלֵק
עַל יְשִׁיבָתוֹ שֶׁל רַבּוֹ וְהָאוֹמֵר *[ד]דָּבָר שֶׁלֹּא שָׁמַע
מִפִּי רַבּוֹ גּוֹרֵם לַשְּׁכִינָה שֶׁתִּסְתַּלֵּק מִיִּשְׂרָאֵל
שָׁאנִי רַבִּי יִרְמְיָה בַּר אַבָּא °[ה]דְּתַלְמִיד חָבֵר הֲוָה

 |

LABEL AND SUMMARIZE:

For each step, write what type of step it is and a brief explanation.

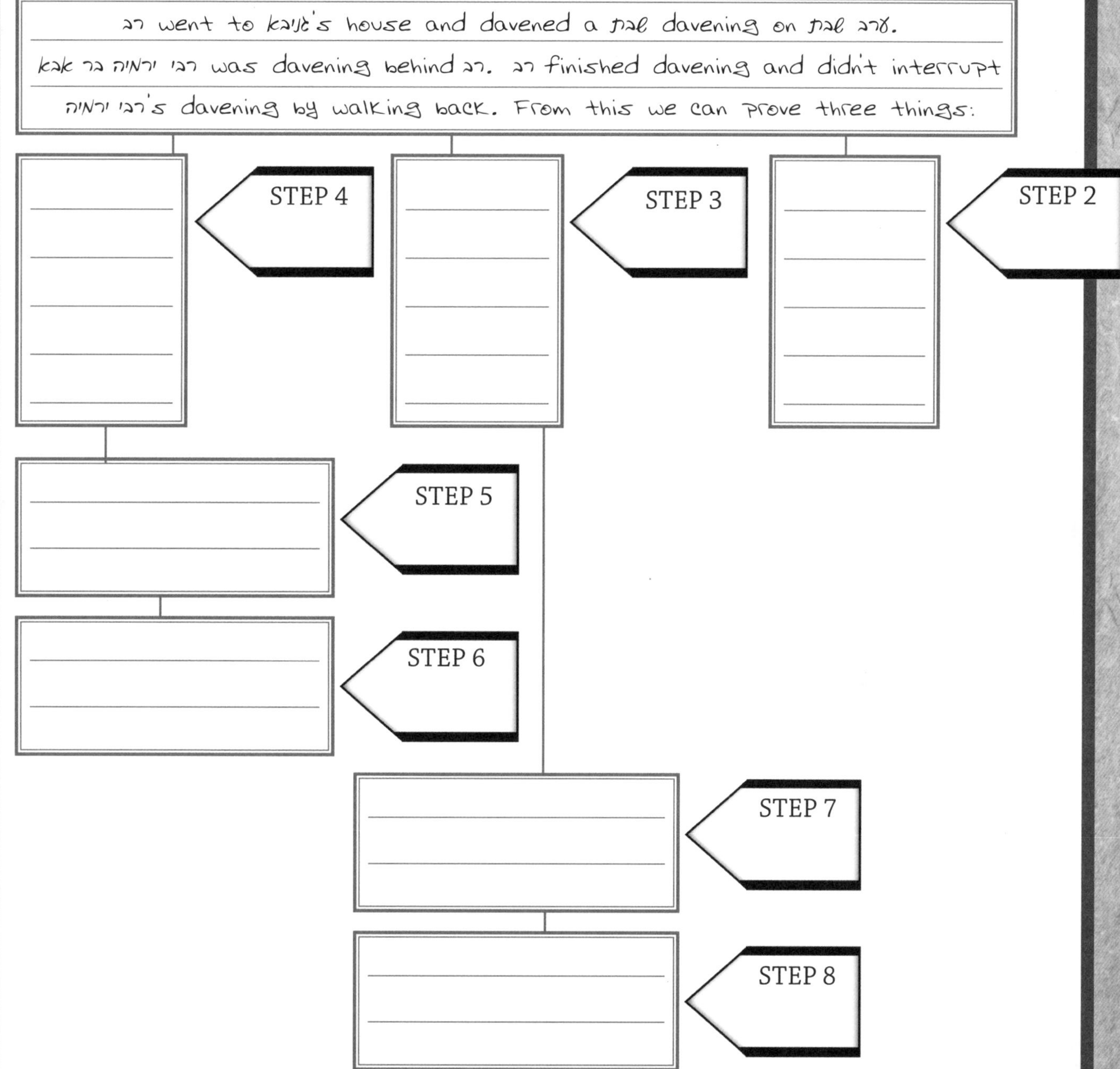

STEP 1

רב went to גניבא's house and davened a שבת davening on ערב שבת. רבי ירמיה בר אבא was davening behind רב. רב finished davening and didn't interrupt רבי ירמיה's davening by walking back. From this we can prove three things:

STEP 2

STEP 3

STEP 4

STEP 5

STEP 6

STEP 7

STEP 8

שיעור ל

כז: lines 7-9

STEP 9

The גְּמָרָא answered our קֻשְׁיָא by saying that רַבִּי יִרְמְיָה בַּר אַבָּא was a תַּלְמִיד חָבֵר. Now, the גְּמָרָא will prove that he was not just a regular תַּלְמִיד, by quoting a conversation between רַבִּי יִרְמְיָה בַּר אַבָּא and רַב. What they were talking about is not important to us at this moment (although it will be later). What we care about now is the way רַבִּי יִרְמְיָה בַּר אַבָּא said what he said.

And this is [the reason]	וְהַיְינוּ
____ רַבִּי יִרְמְיָה בַּר אַבָּא said to רַב	דְּקָאָמַר לֵיהּ רַבִּי יִרְמְיָה בַּר אַבָּא לְרַב
"Did you separate [from doing מְלָאכָה]?"	מִי בְּדַלְתְּ
[רַב] said to him	אָמַר לֵיהּ
"________, I separated."	אֵין בְּדִילְנָא
And [רַבִּי יִרְמְיָה בַּר אַבָּא] did not say,	וְלֹא אָמַר
"Did the master separate?"	מִי בְּדִיל מַר

רַב had davened מַעֲרִיב שַׁבָּת on עֶרֶב שַׁבָּת. רַבִּי יִרְמְיָה בַּר אַבָּא wanted to know if רַב had to separate – stop doing מְלָאכָה (work) – once he davened that תְּפִלַּת שַׁבָּת, or if he could continue doing מְלָאכָה even after he davened. רַב answered that he did separate and could no longer do מְלָאכָה.

As we said earlier, what was said is not important right now. The reason the גְּמָרָא quotes this discussion is to point out that רַבִּי יִרְמְיָה בַּר אַבָּא did not talk to רַב the way a תַּלְמִיד would talk to his רֶבִּי. A תַּלְמִיד would have spoken "in the third person" and said, "Did the master (רֶבִּי) separate?" The way that רַבִּי יִרְמְיָה בַּר אַבָּא spoke – "Did you separate?" – is the way that someone speaks to another person on his own level. This proves that רַבִּי יִרְמְיָה בַּר אַבָּא was a תַּלְמִיד חָבֵר of רַב.

תפלת השחר

פרק רביעי

ברכות

The way that a regular תַּלְמִיד would ask:

The way that רַבִּי יִרְמְיָה בַּר אַבָּא asked (or any תַּלְמִיד חָבֵר):

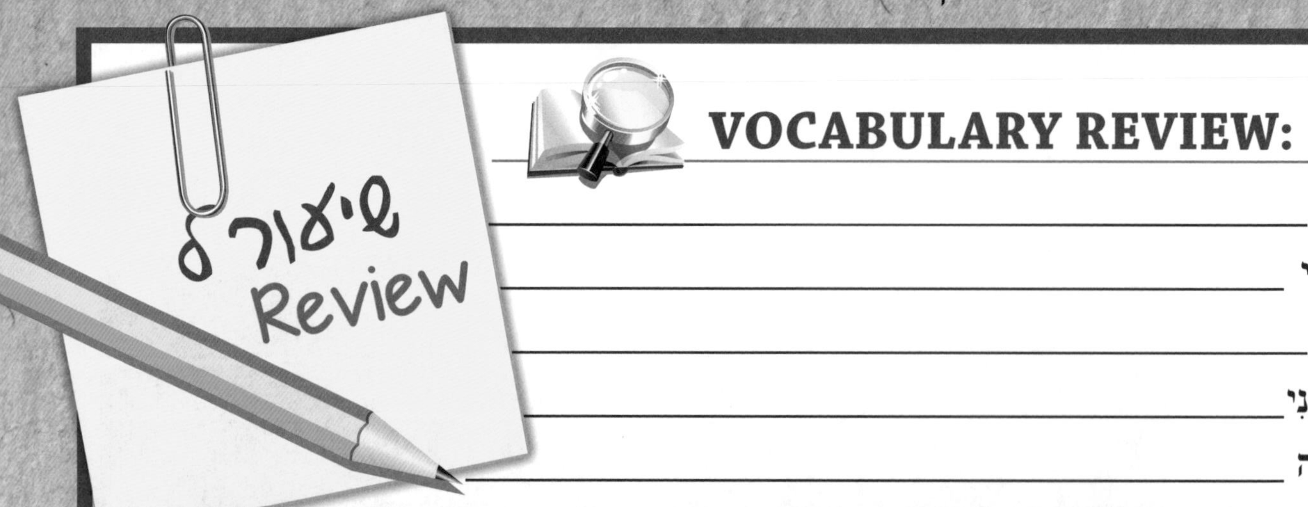

VOCABULARY REVIEW:

אֵין ______

אֵינִי ______

מַר ______

שַׁאנִי ______

שָׁנָה ______

PUT IT ALL TOGETHER:

1. Read, translate and explain the following גְּמָרָא.

וְהַיְינוּ *דְּקָאָמַר לֵיהּ רַבִּי יִרְמְיָה בַּר אַבָּא לְרַב מִי בְּדָלַת אָמַר לֵיהּ אֵין בְּדִילְנָא וְלֹא אָמַר מִי בְּדִיל מַר

2. What is this רַאֲיָה proving? ______

3. What did רַבִּי יִרְמְיָה בַּר אַבָּא ask רַב? (explain well) ______

4. What did רַב answer? ______

5. What was unusual about the way that רַבִּי יִרְמְיָה בַּר אַבָּא asked his question? ______

6. Why did he ask this way? ______

TAKE IT APART:

וְהַיְינוּ *דְקָאָמַר לֵיהּ רַבִּי יִרְמְיָה בַּר אַבָּא לְרַב
מִי בָּדְלַתְּ אָמַר לֵיהּ אֵין בָּדִילְנָא וְלֹא אָמַר מִי
בָּדִיל מַר

1. This step of גְמָרָא is a ________________.

2. What is this step proving? ____

MATCHING:

_____	1. The title they would use when speaking to their רֶבִּי	א. מְלָאכָה
_____	2. This step is a ________________	ב. אֵין בָּדִילְנָא
_____	3. He separated from ______________	ג. מִי בָּדְלַתְּ
_____	4. We are proving that רַבִּי יִרְמְיָה בַּר אַבָּא was a ________	ד. רַאֲיָה
_____	5. רַב's answer	ה. מִי בָּדִיל מַר
_____	6. The way a תַּלְמִיד would ask	ו. תַּלְמִיד חָבֵר
_____	7. The way רַבִּי יִרְמְיָה בַּר אַבָּא asked	ז. מַר

STEP 10

Now that we have proven that רַבִּי יִרְמְיָה בַּר אַבָּא was a תַּלְמִיד חָבֵר, the גְּמָרָא is ready to discuss what רַב had said to him. If you remember, in the last שִׁיעוּר we learned that רַב told רַבִּי יִרְמְיָה בַּר אַבָּא that after davening a שַׁבָּת davening on עֶרֶב שַׁבָּת, he had to separate and stop doing מְלָאכָה. The גְּמָרָא now asks a קֻשְׁיָא on this:

And did he [have to] separate [from מְלָאכָה]?	וּמִי בָּדִיל
But [didn't] רַבִּי אָבִין say	וְהָאָמַר רַבִּי אָבִין
One time	פַּעַם אַחַת
רַבִּי davened a שַׁבָּת davening	הִתְפַּלֵּל רַבִּי שֶׁל שַׁבָּת
on עֶרֶב שַׁבָּת	בְּעֶרֶב שַׁבָּת
and he went into the bathhouse	וְנִכְנַס לַמֶּרְחָץ
and he came out	וְיָצָא
and ______________ ______________ our פֶּרֶק (שִׁיעוּר)	וְשָׁנָה לָן פִּרְקִין
and it had still not gotten dark.	וַעֲדַיִין לֹא חָשְׁכָה

רַבִּי אָבִין tells us that רַבִּי went into the bathhouse <u>after</u> davening a שַׁבָּת davening on עֶרֶב שַׁבָּת. We know that taking a bath or a shower is not allowed on שַׁבָּת, so we see that רַבִּי did not separate from מְלָאכָה. So why did רַב tell us that after davening a שַׁבָּת davening on עֶרֶב שַׁבָּת, a person must separate from מְלָאכָה?

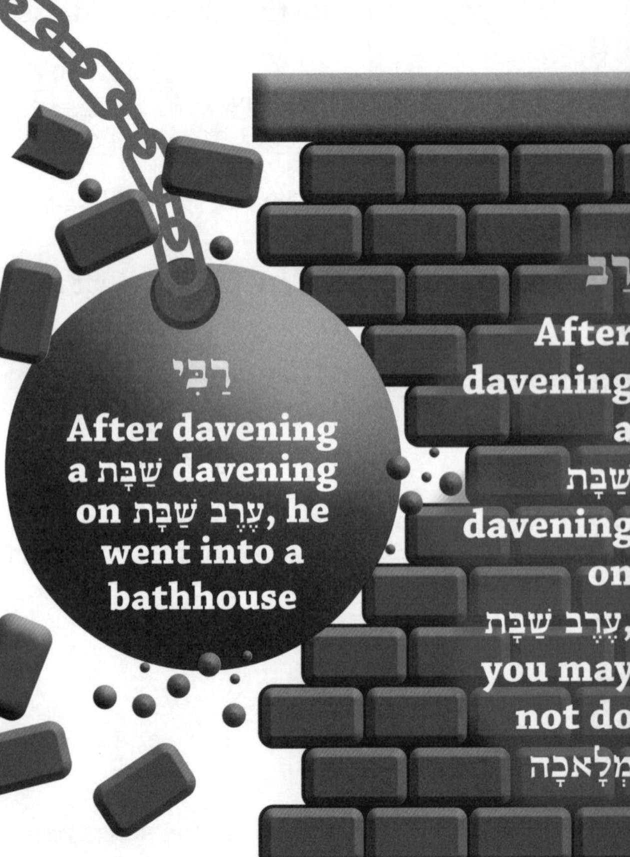

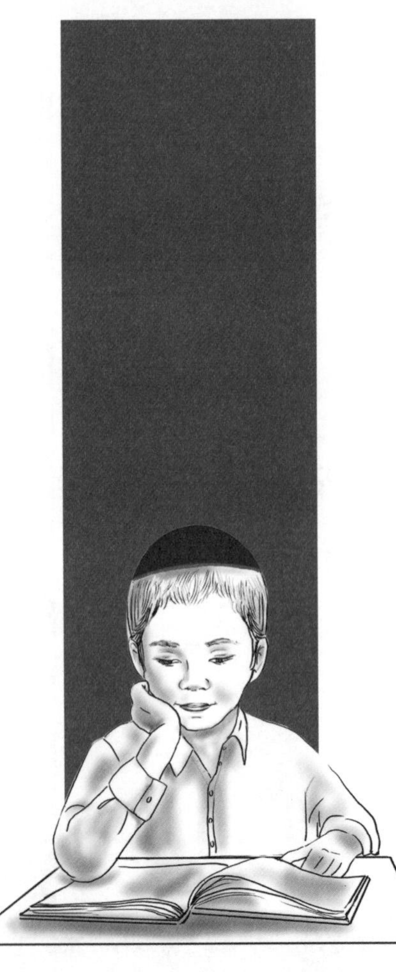

STEP 11

To answer the קֻשְׁיָא, we will explain that (once again) our קֻשְׁיָא was based on an incorrect assumption. All that רַבִּי אָבִין had said was that רַבִּי went into the bathhouse. He did not say he took a bath. Now, all we have to do is find another reason why רַבִּי would have gone into the bathhouse. Obviously, it has to be for something that is permitted to do on שַׁבָּת.

Besides for taking a bath, people would go into a bathhouse to sit in the steam and "take a shvitz" (steam bath). However, during the days of רַבִּי, the חֲכָמִים made a גְּזֵירָה (decree) that a person may not take a shvitz on שַׁבָּת. The גְּמָרָא will now find a way to answer the קֻשְׁיָא by explaining what רַבִּי was doing in the bathhouse:

רָבָא said	אָמַר רָבָא
That [story] was	הַהוּא
_______ [רַבִּי] went in [to the bathhouse] to sweat.	דְּנִכְנַס לְהָזִיעַ
And it was before the גְּזֵירָה [against taking a shvitz on שַׁבָּת].	וְקוֹדֶם גְּזֵירָה הֲוָה

THE MECHANICS OF A קֻשְׁיָא

By now, you are already familiar with the way a קֻשְׁיָא and תֵּירוּץ work. We start with a statement (let's call it "the target") and ask a קֻשְׁיָא on it by giving a reason why it makes no sense (let's call it "the attack"). In the תֵּירוּץ we change something by understanding that we were making an assumption that may not be correct (the הֲוָה אַמִינָא), and we arrive at the accurate conclusion (the מַסְקָנָא).

In short, for every קֻשְׁיָא and תֵּירוּץ you need to make sure that you know four things. Let's identify these four things in this שִׁיעוּר:

The Target THE THING WHICH SEEMS TO "MAKE NO SENSE"	רַב said that he was required to separate from מְלָאכָה after davening a שַׁבָּת davening on עֶרֶב שַׁבָּת.
The Attack THE STATEMENT OR LOGIC THAT SHOWS THAT IT "MAKES NO SENSE"	רַבִּי went into the bathhouse after davening a שַׁבָּת davening on עֶרֶב שַׁבָּת.
The הֲוָה אַמִינָא WHAT WE WERE ASSUMING THAT CAUSED US TO HAVE A קֻשְׁיָא	רַבִּי went into the bathhouse to take a bath (which is not allowed on שַׁבָּת).
The מַסְקָנָא THE CONCLUSION, WHERE OUR MISTAKEN ASSUMPTION IS CORRECTED, LEAVING US WITH NO MORE קֻשְׁיָא	רַבִּי went into the bathhouse to take a shvitz (before the חֲכָמִים banned doing so on שַׁבָּת).

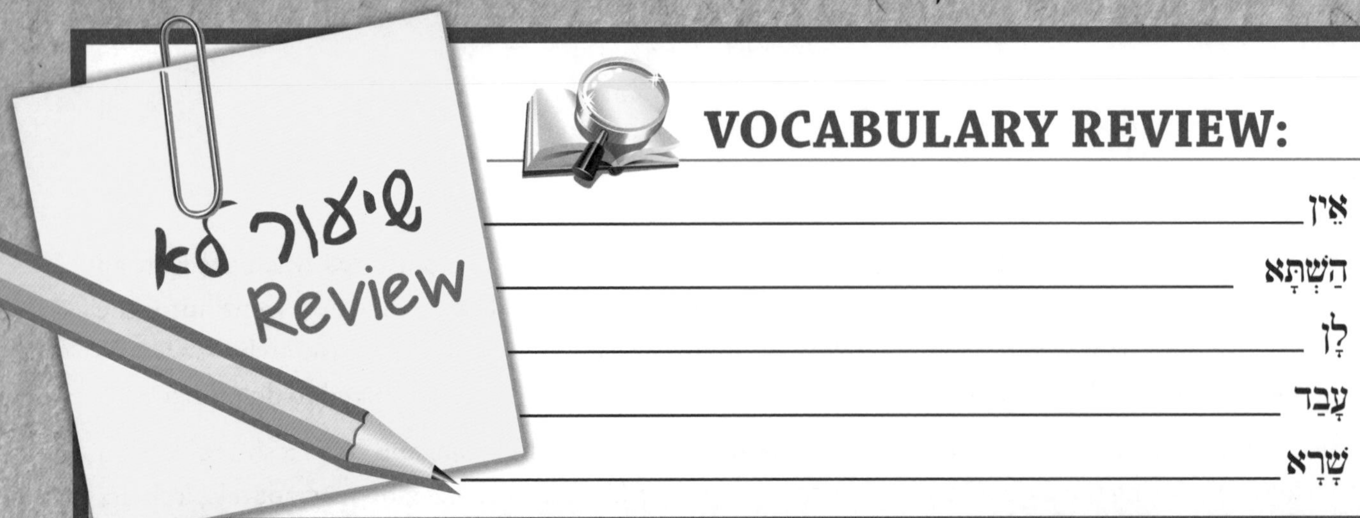

VOCABULARY REVIEW:

אֵין ______

הַשְׁתָּא ______

לָן ______

עָבַד ______

שָׁרָא ______

PUT IT ALL TOGETHER:

1. Read, translate and explain the following גְּמָרָא.

וּמִי בָּדִיל וְהָאָמַר רַבִּי אָבִין פַּעַם אַחַת הִתְפַּלֵּל רַבִּי שֶׁל שַׁבָּת בְּעֶרֶב שַׁבָּת וְנִכְנַס לַמֶּרְחָץ וְיָצָא וְשָׁנָה לָן פִּרְקִין וַעֲדַיִין לֹא חָשְׁכָה *אָמַר רָבָא הַהוּא דְּנִכְנַס לְהָזִיעַ °וְקוֹדֶם גְּזֵירָה הֲוָה

2. What did רַב say that we are now questioning (the target)? ______

3. What did רַבִּי do that seemed to be a קֻשְׁיָא on what רַב said (the attack)? ______

4. What גְּזֵירָה did the חֲכָמִים make in the days of רַבִּי? ______

5. What did we assume that רַבִּי was doing in the bathhouse (the הֲוָה אַמִינָא)?

______

6. What was he really doing and why was it okay (the מַסְקָנָא)?

______

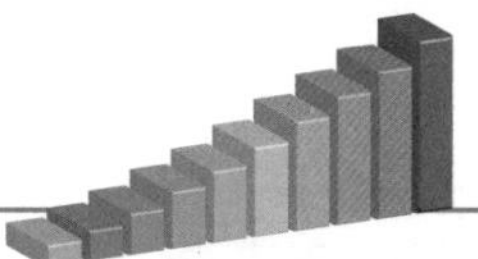

IDENTIFY THE STEPS:
BE SURE TO INCLUDE EVERY WORD.

וּמִי בָּדִיל וְהָאָמַר רַבִּי אָבִין פַּעַם
אַחַת הִתְפַּלֵּל רַבִּי שֶׁל שַׁבָּת בְּעֶרֶב שַׁבָּת וְנִכְנַס
לַמֶּרְחָץ וְיָצָא וְשָׁנָה לָן פִּרְקִין וַעֲדַיִין לֹא חָשְׁכָה
*אָמַר רָבָא הַהוּא דְּנִכְנַס לְהָזִיעַ וְקוֹדֶם גְּזֵירָה
הֲוָה

Please underline the קֻשְׁיָא

Please [bracket] the תֵּירוּץ

MATCHING:

______	1. The target	א. תֵּירוּץ
______	2. The הֲוָה אַמִינָא	ב. דְּנִכְנַס לְהָזִיעַ
______	3. Step 10 of the סוּגְיָא	ג. קֻשְׁיָא
______	4. And it still had not gotten dark	ד. רַבִּי went in to take a bath
______	5. The attack	ה. אֵין בָּדִילְנָא
______	6. Why it was OK to take a shvitz	ו. קוֹדֶם גְּזֵירָה הֲוָה
______	7. The מַסְקָנָא	ז. וַעֲדַיִין לֹא חָשְׁכָה
______	8. Step 11 of the סוּגְיָא	ח. הִתְפַּלֵּל רַבִּי... וְנִכְנַס לַמֶּרְחָץ

The סוגיא to this point

שיעורים כז-לא

NUMBER THE STEPS:

PLACE A SMALL NUMBER AT THE BEGINNING OF EACH STEP

(example: [1]רַב אִיקְלַע)

רַב אִיקְלַע לְבֵי גְּנִיבָא וְצַלֵּי שֶׁל
שַׁבָּת בְּעֶרֶב שַׁבָּת וַהֲוָה מְצַלֵּי רַבִּי יִרְמְיָה בַּר אַבָּא לַאֲחוֹרֵיהּ דְּרַב וְסַיֵּים רַב
וְלֹא פַּסְקֵיהּ לִצְלוֹתֵיהּ דְּרַבִּי יִרְמְיָה שְׁמַע מִינָּהּ תְּלַת שְׁמַע מִינָּהּ ט מִתְפַּלֵּל אָדָם
שֶׁל שַׁבָּת בְּעֶרֶב שַׁבָּת וּשְׁמַע מִינָּהּ מִתְפַּלֵּל תַּלְמִיד אֲחוֹרֵי רַבּוֹ וּשְׁמַע
מִינָּהּ י אָסוּר לַעֲבוֹר כְּנֶגֶד הַמִּתְפַּלְּלִין מְסַיֵּיעַ לֵיהּ לְרַבִּי יְהוֹשֻׁעַ בֶּן לֵוִי דְּאָמַר
רַבִּי יְהוֹשֻׁעַ בֶּן לֵוִי אָסוּר לַעֲבוֹר כְּנֶגֶד הַמִּתְפַּלְּלִין אֵינִי וְהָא רַבִּי אַמִּי וְרַבִּי
אַסִּי חַלְפֵי רַבִּי אַמִּי וְרַבִּי אַסִּי חוּץ לְאַרְבַּע אַמּוֹת הוּא דְּחַלְפֵי וְרַבִּי יִרְמְיָה
הֵיכִי עָבִיד הָכִי וְהָא אָמַר רַב יְהוּדָה אָמַר רַב לְעוֹלָם אַל יִתְפַּלֵּל אָדָם

לֹא א כְּנֶגֶד רַבּוֹ וְלֹא אֲחוֹרֵי רַבּוֹ וְתַנְיָא רַבִּי
אֱלִיעֶזֶר אוֹמֵר הַמִּתְפַּלֵּל אֲחוֹרֵי רַבּוֹ ב וְהַנּוֹתֵן
שָׁלוֹם לְרַבּוֹ וְהַמַּחֲזִיר שָׁלוֹם לְרַבּוֹ* ג וְהַחוֹלֵק
עַל יְשִׁיבָתוֹ שֶׁל רַבּוֹ וְהָאוֹמֵר *ד דָּבָר שֶׁלֹּא שָׁמַע
מִפִּי רַבּוֹ גּוֹרֵם לַשְּׁכִינָה שֶׁתִּסְתַּלֵּק מִיִּשְׂרָאֵל
שָׁאנִי רַבִּי יִרְמְיָה בַּר אַבָּא ה דְּתַלְמִיד חָבֵר הֲוָה
וְהַיְינוּ *דְּקָאָמַר לֵיהּ רַבִּי יִרְמְיָה בַּר אַבָּא לְרַב
מִי בְּדָלַת אָמַר לֵיהּ אִין בְּדִילְנָא וְלֹא אָמַר מִי
בָּדִיל מַר וּמִי בָּדִיל וְהָאָמַר רַבִּי אָבִין פַּעַם
אַחַת הִתְפַּלֵּל רַבִּי שֶׁל שַׁבָּת בְּעֶרֶב שַׁבָּת וְנִכְנַס
לַמֶּרְחָץ וְיָצָא וְשָׁנָה לָן פִּרְקִין וַעֲדַיִין לֹא חָשְׁכָה
*אָמַר רָבָא הַהוּא דְּנִכְנַס לְהָזִיעַ וְקוֹדֶם גְּזֵירָה
הֲוָה

LABEL AND SUMMARIZE:

For each step, write what type of step it is and a brief explanation.

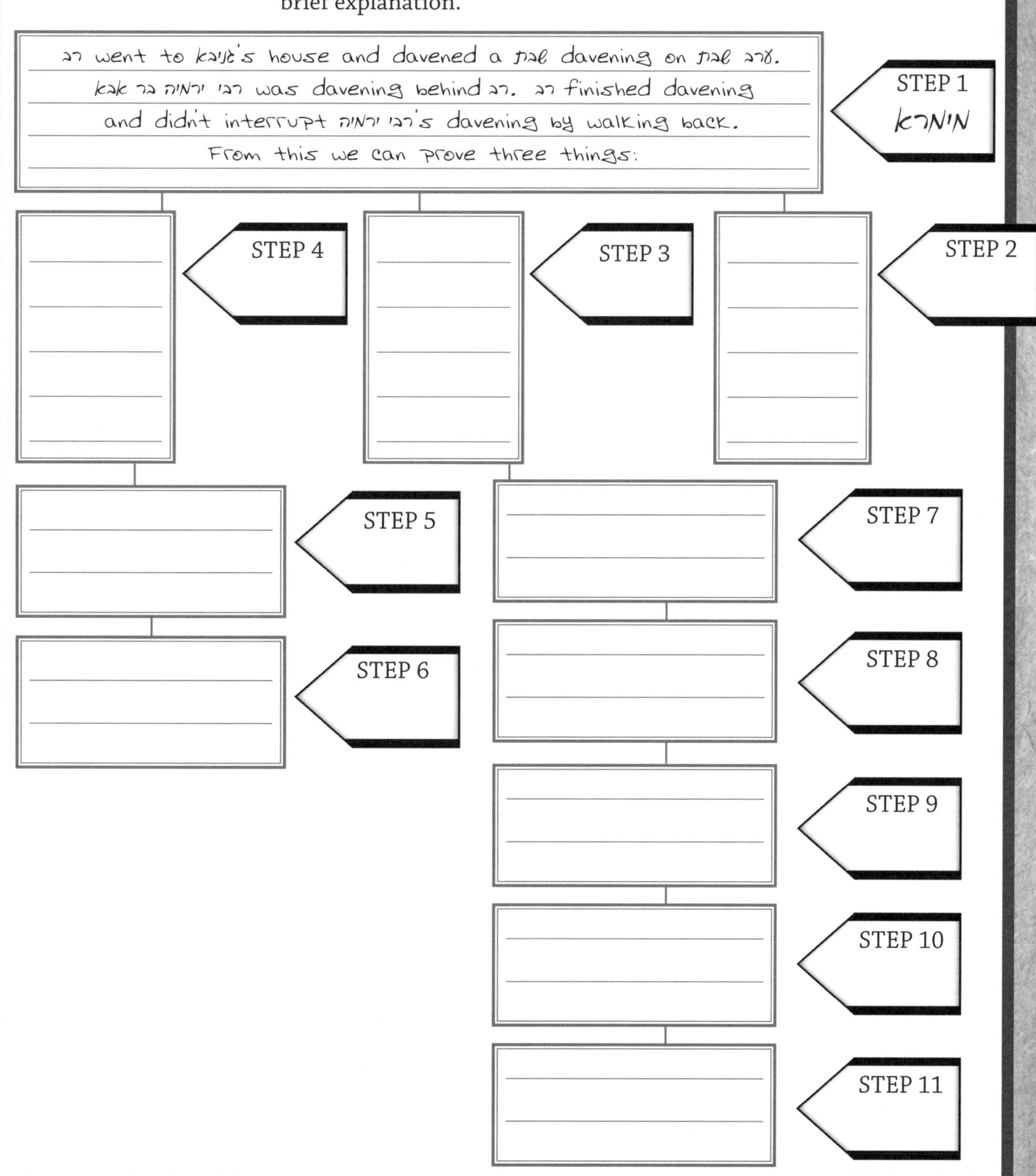

רב went to גניבא's house and davened a שבת davening on ערב שבת. רבי ירמיה בר אבא was davening behind רב. רב finished davening and didn't interrupt רבי ירמיה's davening by walking back. From this we can prove three things:

STEP 1 מימרא

STEP 2

STEP 3

STEP 4

STEP 5

STEP 6

STEP 7

STEP 8

STEP 9

STEP 10

STEP 11

STEP 12

The גְמָרָא is not yet finished with רַב's statement that he "separated." It is now the target of another קֻשְׁיָא:

________________________ [that רַב had to separate]?!	אֵינִי
But אַבַּיֵי	וְהָא אַבַּיֵי
__________ for רַב דִּימִי בַּר לִיוָאֵי	שָׁרָא לֵיהּ לְרַב דִּימִי בַּר לִיוָאֵי
to smoke out baskets* [after davening a שַׁבָּת davening on עֶרֶב שַׁבָּת].	לְכַבְרוּיֵי סַלֵּי

Smoking out baskets on שַׁבָּת would involve doing מְלָאכָה. From the fact that אַבַּיֵי allowed רַב דִּימִי בַּר לִיוָאֵי to do it, we see very clearly that he held that one does not have to separate from מְלָאכָה after davening a שַׁבָּת davening on עֶרֶב שַׁבָּת.

Fill in the blanks to complete the graphic representation of the קֻשְׁיָא.

*רַב דִּימִי בַּר לִיוָאֵי would burn sulfur and leave his baskets in the smoke. This would clean the baskets or the clothing that was inside them.

STEP 13

The גְּמָרָא answers that this story is not what we assumed:

That [early תְּפִלָּה of רַב דִּימִי בַּר לִיוָאֵי]	הַהוּא
it was ______________________________	טָעוּתָא הֲוָאִי

What the גְּמָרָא means is that רַב דִּימִי בַּר לִיוָאֵי did not mean to daven early. The day was very cloudy and he thought that it was nightfall and davened מַעֲרִיב. When the clouds cleared up and the sun came out, he asked אַבַּיֵי if he could do מְלָאכָה; after all, he had not intended to make שַׁבָּת early. Because it was a mistake, אַבַּיֵי told him that he could do מְלָאכָה. However, in a case where someone had כַּוָּנָה to daven early, אַבַּיֵי would never permit him to do מְלָאכָה.

By now, you should be able to identify the הֲוָה אַמִינָא and מַסְקָנָא on your own. See if you can fill in the blank lines ("on purpose" or "by mistake").

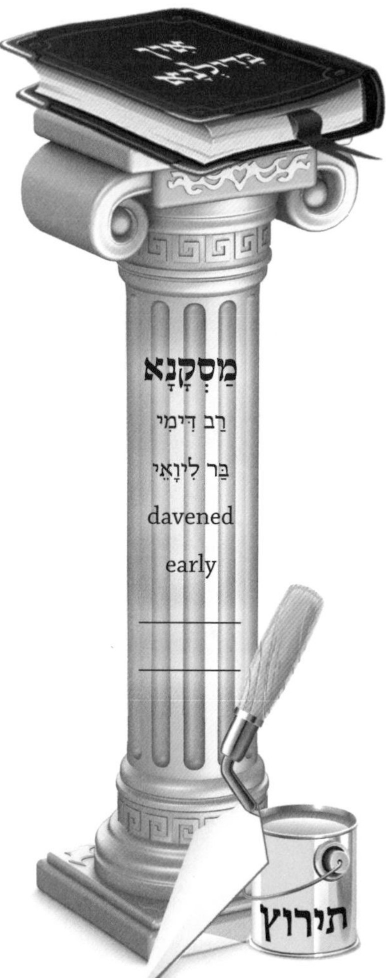

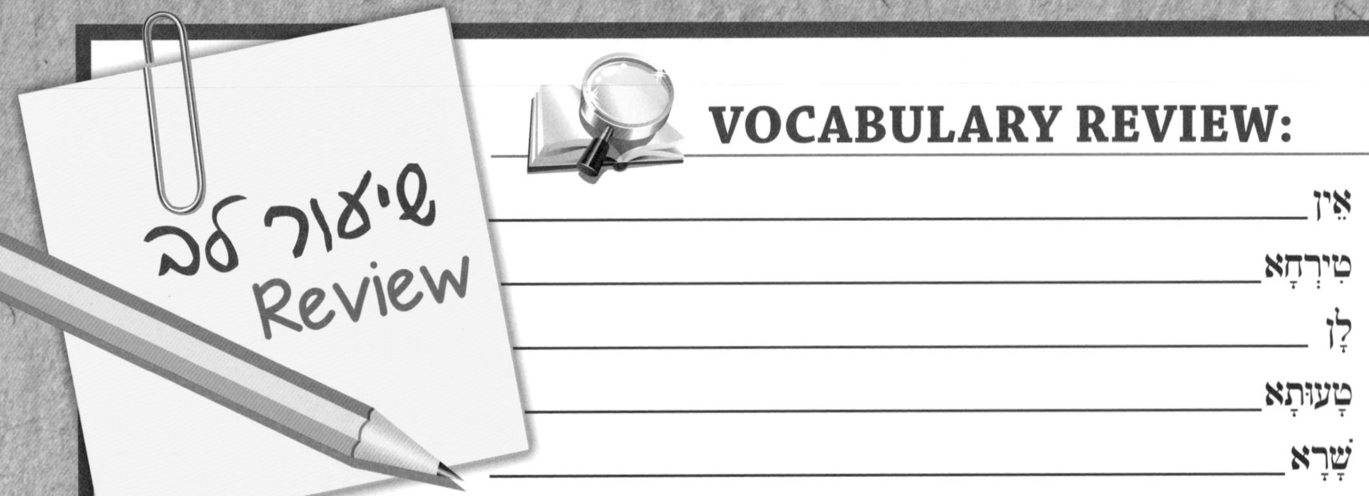

VOCABULARY REVIEW:

אֵין ______________________________

טִירְחָא ______________________________

לָן ______________________________

טָעוּתָא ______________________________

שָׁרָא ______________________________

PUT IT ALL TOGETHER:

1. Read, translate and explain the following גְּמָרָא.

אֵינִי וְהָא אַבַּיֵי שָׁרָא לֵיהּ לְרַב דִּימִי בַּר
לִיוָאֵי לְכַבְרוּיֵי סַלֵּי הַהוּא טָעוּתָא הֲוָאִי

2. Please fill in the chart based on the קֻשְׁיָא and תֵּירוּץ of this שִׁיעוּר.

The Target	
The Attack	
The הֲוָה אַמִינָא	
The מַסְקָנָא	

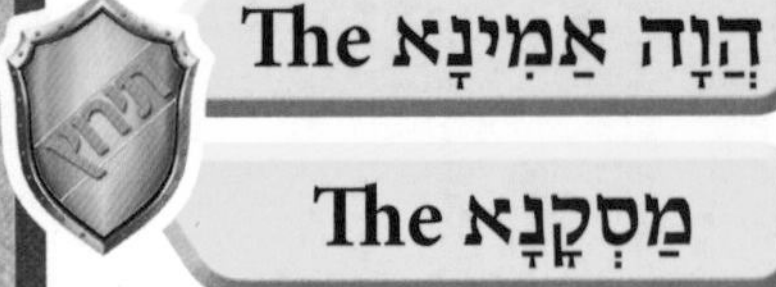

3. Davening a שַׁבָּת davening on עֶרֶב שַׁבָּת will only require you to separate from מְלָאכָה if __

____

____

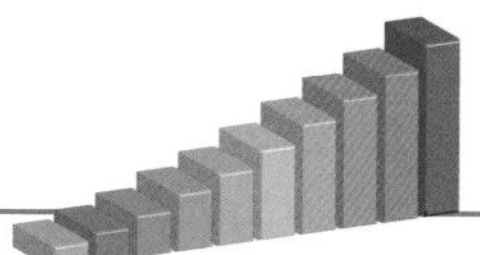

IDENTIFY THE STEPS:
BE SURE TO INCLUDE EVERY WORD.

אֵינִי וְהָא אַבַּיֵי שָׁרָא לֵיהּ לְרַב דִּימִי בַּר
לִיוָאֵי לְכַבְרוּיֵי סַלֵּי הַהוּא טָעוּתָא הֲוָאִי

Please underline the קֻשְׁיָא

Please [bracket] the תֵּירוּץ

MATCHING:

______	1. To smoke baskets	א. רַב דִּימִי intended to daven early
______	2. Step 13 of the סוּגְיָא	ב. אֵין בָּדִילְנָא
______	3. The target	ג. אַבַּיֵי שָׁרָא... לְכַבְרוּיֵי סַלֵּי
______	4. The attack	ד. לְכַבְרוּיֵי סַלֵּי
______	5. The מַסְקָנָא	ה. תֵּירוּץ
______	6. Step 12 of the סוּגְיָא	ו. קֻשְׁיָא
______	7. The הֲוָה אַמִינָא	ז. רַב דִּימִי did not intend to daven early

STEP 14

The גְּמָרָא answered that רַב דִּימִי בַּר לִיוָאֵי's davening didn't count because it was by mistake. That statement is the target of our next קַשְׁיָא:

And _______________________	וְטָעוּתָא
does it really get taken back?	מִי הַדְרָא
~~And~~ _______ [didn't] אֲבִידָן say	וְהָא אָמַר אֲבִידָן
One time	פַּעַם אַחַת
the sky became "tied up" with clouds.	נִתְקַשְּׁרוּ שָׁמַיִם בְּעָבִים
The people thought to say	כִּסְבוּרִים הָעָם לוֹמַר
It was dark	חֲשֵׁכָה הוּא
and they came into the בֵּית הַכְּנֶסֶת (Shul)	וְנִכְנְסוּ לְבֵית הַכְּנֶסֶת
and they davened a מוֹצָאֵי שַׁבָּת davening on שַׁבָּת.	וְהִתְפַּלְּלוּ שֶׁל מוֹצָאֵי שַׁבָּת בְּשַׁבָּת
And the clouds scattered	וְנִתְפַּזְּרוּ הֶעָבִים
and the sun shone.	וְזָרְחָה הַחַמָּה
And they came	וּבָאוּ
and they asked רַבִּי [if they need to daven again].	וְשָׁאֲלוּ אֶת רַבִּי
And he said	וְאָמַר
Since they davened	הוֹאִיל וְהִתְפַּלְּלוּ
they davened [and they don't need to daven again].	הִתְפַּלְּלוּ

We see from this story that an early תְּפִלָּה still counts even if it was said by mistake. If so, why did אַבַּיֵי allow רַב דִּימִי בַּר לִיוָאֵי to smoke baskets just because he davened early by mistake?

 |

STEP 15

The גְּמָרָא answers by explaining a difference between the two stories:

A congregation is ______________________	שַׁאנֵי צִבּוּר
_____ we don't bother them.	דְּלֹא מַטְרְחִינַן לְהוּ:

The idea of טִירְחָא דְצִיבּוּרָא (not bothering a congregation) is very important. It would certainly have been a great bother for the entire congregation if רַבִּי had required them to return to shul in order to daven מַעֲרִיב again. Therefore, even though the early תְּפִלָּה was a mistake, it was still allowed to count. However, if a יָחִיד (an individual) makes a mistake, he needs to go back and daven again.

The הֲוָה אַמִינָא and מַסְקָנָא in this שִׁיעוּר are a bit tricky to identify. What do you think they are?

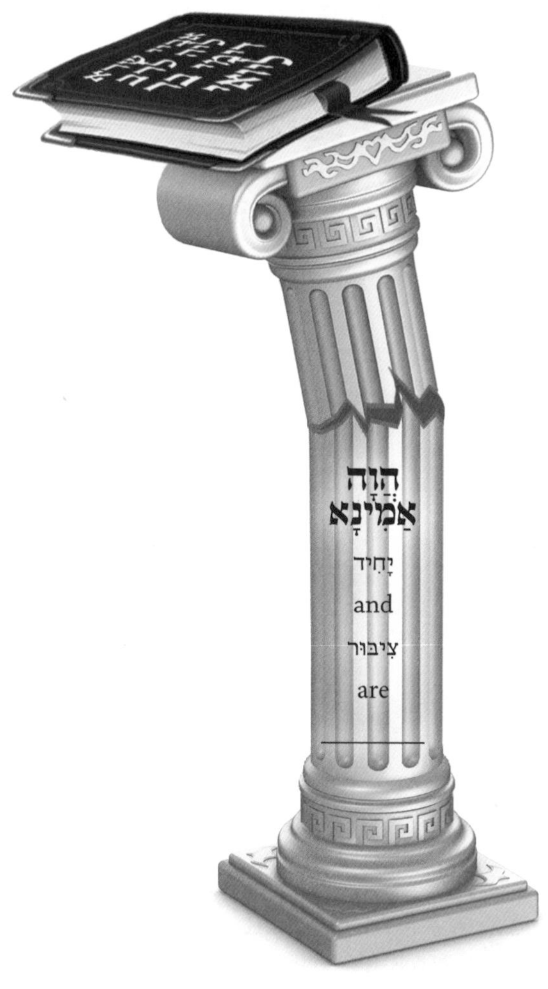

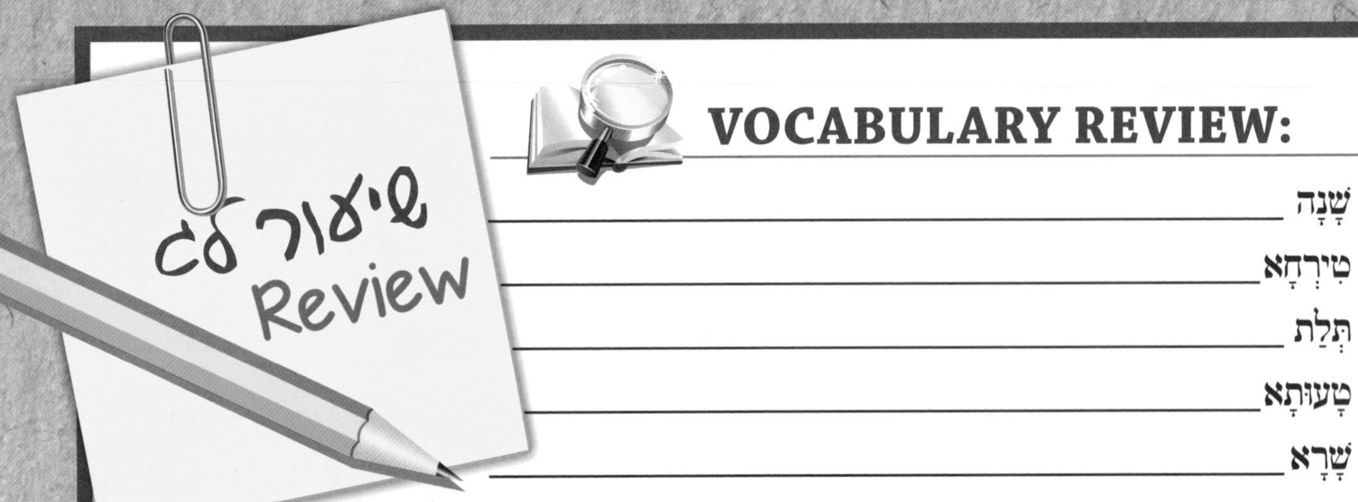

VOCABULARY REVIEW:

שָׁנָה ______________________

טִירְחָא ______________________

תְּלַת ______________________

טָעוּתָא ______________________

שָׁרָא ______________________

PUT IT ALL TOGETHER:

1. Read, translate and explain the following גְּמָרָא.

וְטָעוּתָא
מִי הַדְרָא וְהָא אָמַר אֲבִידָן פַּעַם אַחַת נִתְקַשְּׁרוּ
שָׁמַיִם בְּעָבִים כִּסְבוּרִים הָעָם לוֹמַר חֲשֵׁכָה הוּא
וְנִכְנְסוּ לְבֵית הַכְּנֶסֶת וְהִתְפַּלְלוּ שֶׁל מוֹצָאֵי
שַׁבָּת בְּשַׁבָּת וְנִתְפַּזְּרוּ הֶעָבִים וְזָרְחָה הַחַמָּה
וּבָאוּ וְשָׁאֲלוּ אֶת רַבִּי וְאָמַר הוֹאִיל וְהִתְפַּלְלוּ
הִתְפַּלְלוּ שָׁאנִי צִבּוּר דְּלָא מַטְרְחִינַן לְהוּ:

2. Please fill in the chart based on the קֻשְׁיָא and תֵּירוּץ of this שִׁיעוּר.

קשיא	
The Target	
The Attack	

תירוץ	
The הֲוָה אַמִינָא	
The מַסְקָנָא	

3. A תְּפִלָּה davened by mistake cannot be taken back if ______________________

____

4. A תְּפִלָּה davened by mistake can be taken back if ______________________

____

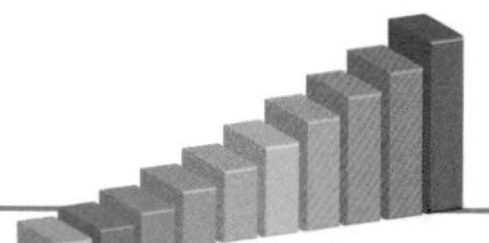

IDENTIFY THE STEPS:
BE SURE TO INCLUDE EVERY WORD.

וְטָעוּתָא
מִי הֲדָרָא וְהָא אָמַר אֲבִידָן פַּעַם אַחַת נִתְקַשְּׁרוּ
שָׁמַיִם בְּעָבִים כְּסְבוּרִים הָעָם לוֹמַר חֲשֵׁכָה הוּא
וְנִכְנְסוּ לְבֵית הַכְּנֶסֶת וְהִתְפַּלְּלוּ שֶׁל מוֹצָאֵי
שַׁבָּת בְּשַׁבָּת וְנִתְפַּזְּרוּ הֶעָבִים וְזָרְחָה הַחַמָּה
וּבָאוּ וְשָׁאֲלוּ אֶת רַבִּי וְאָמַר הוֹאִיל וְהִתְפַּלְּלוּ
הִתְפַּלְּלוּ שַׁאנִי צִבּוּר דְּלָא מַטְרְחִינַן לְהוּ:

Please <u>underline</u> the קֻשְׁיָא

Please [bracket] the תֵּירוּץ

MATCHING:

____	1. Since	א. הַהוּא טָעוּתָא הֲוָאִי
____	2. The attack	ב. **יָחִיד and צִיבּוּר are the same**
____	3. And the clouds scattered	ג. הוֹאִיל וְהִתְפַּלְּלוּ הִתְפַּלְּלוּ
____	4. The מַסְקָנָא	ד. הוֹאִיל
____	5. The הֲוָה אַמִינָא	ה. נִתְקַשְּׁרוּ שָׁמַיִם בְּעָבִים
____	6. And the sun shone	ו. וְנִתְפַּזְּרוּ הֶעָבִים
____	7. The target	ז. וְזָרְחָה הַחַמָּה
____	8. Step 15 of the סוּגְיָא	ח. **יָחִיד and צִיבּוּר are not the same**
____	9. Step 14 of the סוּגְיָא	ט. תֵּירוּץ
____	10. The sky became tied up with clouds	י. קֻשְׁיָא

The סוגיא to this point

שיעורים כז-לג

NUMBER THE STEPS:

PLACE A SMALL NUMBER AT THE BEGINNING OF EACH STEP

(example: רַב אִיקְלַע[1])

רַב אִיקְלַע לְבֵי גְּנִיבָא וְצַלֵּי שֶׁל
שַׁבָּת בְּעֶרֶב שַׁבָּת וַהֲוָה מְצַלֵּי רַבִּי יִרְמְיָה בַּר אַבָּא לַאֲחוֹרֵיהּ דְּרַב וְסַיֵּים רַב
וְלָא פַּסְקֵיהּ לִצְלוֹתֵיהּ דְּרַבִּי יִרְמְיָה שְׁמַע מִינָּהּ תְּלָת שְׁמַע מִינָּהּ מִתְפַּלֵּל אָדָם
שֶׁל שַׁבָּת בְּעֶרֶב שַׁבָּת וּשְׁמַע מִינָּהּ מִתְפַּלֵּל תַּלְמִיד אֲחוֹרֵי רַבּוֹ וּשְׁמַע
מִינָּהּ אָסוּר לַעֲבוֹר כְּנֶגֶד הַמִּתְפַּלְּלִין מְסַיֵּיעַ לֵיהּ לְרַבִּי יְהוֹשֻׁעַ בֶּן לֵוִי דְּאָמַר
רַבִּי יְהוֹשֻׁעַ בֶּן לֵוִי אָסוּר לַעֲבוֹר כְּנֶגֶד הַמִּתְפַּלְּלִין אִינִי וְהָא רַבִּי אַמִּי וְרַבִּי
אַסִּי חָלְפֵי רַבִּי אַמִּי וְרַבִּי אַסִּי חוּץ לְאַרְבַּע אַמּוֹת הוּא דְּחָלְפֵי וְרַבִּי יִרְמְיָה
הֵיכִי עָבֵיד הָכִי וְהָא אָמַר רַב יְהוּדָה אָמַר רַב לְעוֹלָם אַל יִתְפַּלֵּל אָדָם

לֹא כְּנֶגֶד רַבּוֹ וְלֹא אֲחוֹרֵי רַבּוֹ וְתַנְיָא רַבִּי
אֱלִיעֶזֶר אוֹמֵר הַמִּתְפַּלֵּל אֲחוֹרֵי רַבּוֹ וְהַנּוֹתֵן
שָׁלוֹם לְרַבּוֹ וְהַמַּחֲזִיר שָׁלוֹם לְרַבּוֹ* וְהַחוֹלֵק
עַל יְשִׁיבָתוֹ שֶׁל רַבּוֹ וְהָאוֹמֵר *דָּבָר שֶׁלֹּא שָׁמַע
מִפִּי רַבּוֹ גּוֹרֵם לַשְּׁכִינָה שֶׁתִּסְתַּלֵּק מִיִּשְׂרָאֵל
שַׁאנִי רַבִּי יִרְמְיָה בַּר אַבָּא דְּתַלְמִיד חָבֵר הֲוָה
וְהַיְינוּ *דְּקָאָמַר לֵיהּ רַבִּי יִרְמְיָה בַּר אַבָּא לְרַב
מִי בָּדְלַתְּ אָמַר לֵיהּ אִין בָּדִילְנָא וְלֹא אָמַר מִי
בָּדִיל מָר וּמִי בָּדִיל וְהָאָמַר רַבִּי אָבִין פַּעַם
אַחַת הִתְפַּלֵּל רֶבִּי שֶׁל שַׁבָּת בְּעֶרֶב שַׁבָּת וְנִכְנַס
לַמֶּרְחָץ וְיָצָא וְשָׁנָה לָן פִּרְקִין וַעֲדַיִין לֹא חָשְׁכָה
*אָמַר רָבָא הַהוּא דְּנִכְנַס לְהָזִיעַ וְקוֹדֶם גְּזֵירָה
הֲוָה אִינִי וְהָא אַבַּיֵּי שָׁרָא לֵיהּ לְרַב דִּימִי בַּר
לִיוָאֵי לְכַבְרוּיֵי סַלֵּי הַהוּא טָעוּתָא הֲוָאִי וְטָעוּתָא
מִי הַדְרָא וְהָא אָמַר אֲבִידָן פַּעַם אַחַת נִתְקַשְּׁרוּ
שָׁמַיִם בְּעָבִים כִּסְבוּרִים הָעָם לוֹמַר חֲשֵׁכָה הוּא
וְנִכְנְסוּ לְבֵית הַכְּנֶסֶת וְהִתְפַּלְּלוּ שֶׁל מוֹצָאֵי
שַׁבָּת בְּשַׁבָּת וְנִתְפַּזְּרוּ הֶעָבִים וְזָרְחָה הַחַמָּה
וּבָאוּ וְשָׁאֲלוּ אֶת רֶבִּי וְאָמַר הוֹאִיל וְהִתְפַּלְּלוּ
הִתְפַּלְּלוּ שַׁאנִי צִבּוּר דְּלָא מַטְרְחִינָן לְהוּ:

LABEL AND SUMMARIZE:

For each step, write what type of step it is and a brief explanation.

רב went to גניבא's house and davened a שבת davening on ערב שבת. רבי ירמיה בר אבא was davening behind רב. רב finished davening and didn't interrupt רבי ירמיה's davening by walking back. From this we can prove three things:

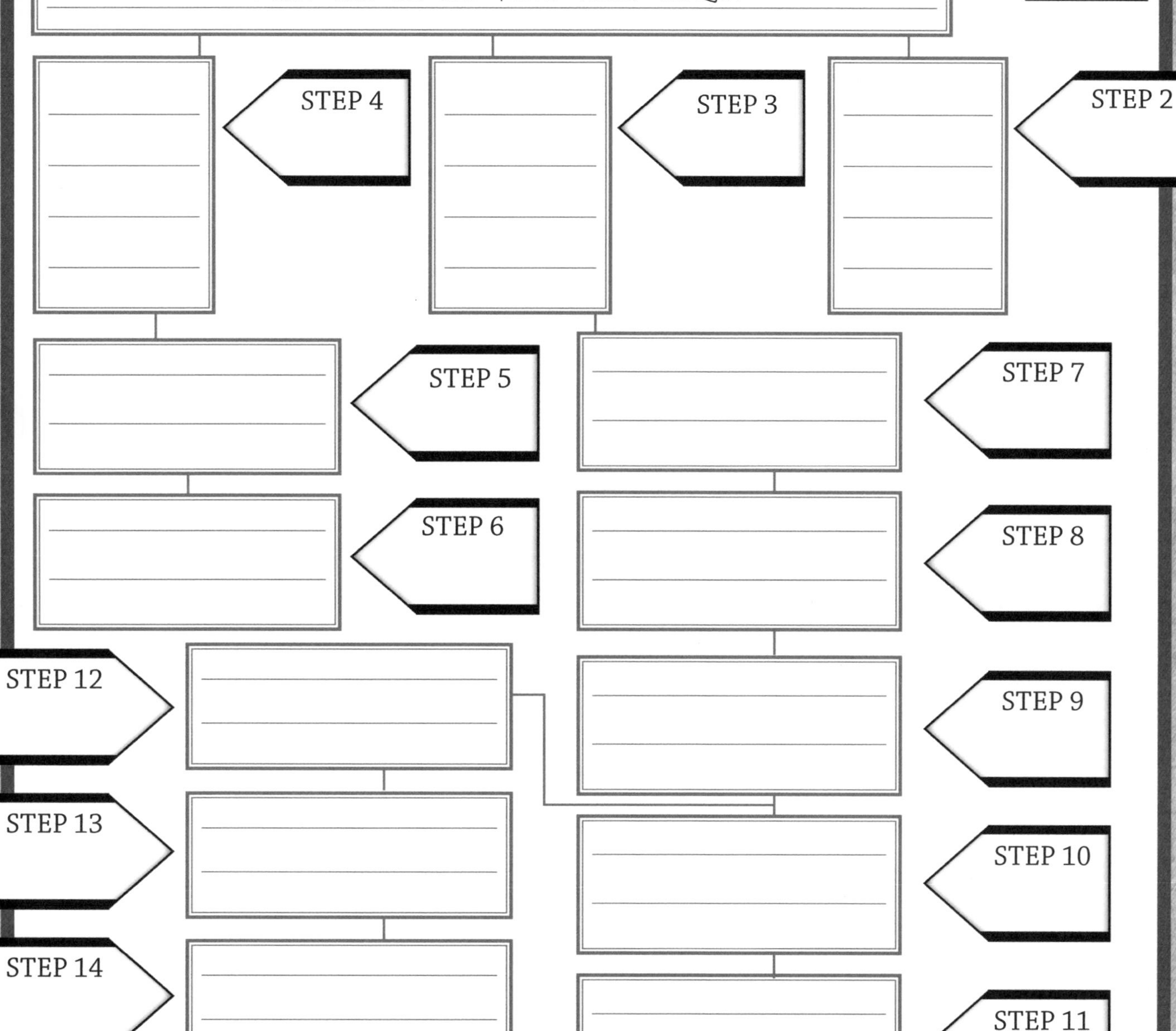

STEP 1 מימרא

STEP 2

STEP 3

STEP 4

STEP 5

STEP 6

STEP 7

STEP 8

STEP 9

STEP 10

STEP 11

STEP 12

STEP 13

STEP 14

STEP 15

VOCABULARY WORDS

85. אִילֵימָא

86. אִלְמָלֵי

STEP 1

The גְּמָרָא begins a new but connected סוּגְיָא with a מֵימְרָא:

א"ר חִיָּיא בַּר אָבִין	רַבִּי חִיָּיא בַּר אָבִין said
רַב צַלֵּי שֶׁל שַׁבָּת בְּעֶרֶב שַׁבָּת	רַב davened a שַׁבָּת davening on עֶרֶב שַׁבָּת [after פְּלַג הַמִּנְחָה].
רַבִּי יֹאשִׁיָּה מְצַלֵּי שֶׁל מוֹצָאֵי שַׁבָּת בְּשַׁבָּת	רַבִּי יֹאשִׁיָּה davened a מוֹצָאֵי שַׁבָּת davening on שַׁבָּת [after פְּלַג הַמִּנְחָה].

STEP 2

The גְּמָרָא will now ask a שְׁאֵלָה about the first part of the מֵימְרָא. As we have seen several times already, the גְּמָרָא will repeat the first half of the מֵימְרָא before discussing it:

רַב צַלֵּי שֶׁל שַׁבָּת בְּעֶרֶב שַׁבָּת	רַב davened a שַׁבָּת davening on עֶרֶב שַׁבָּת [after פְּלַג הַמִּנְחָה].
אוֹמֵר קְדוּשָּׁה עַל הַכּוֹס	Can one [who does as רַב did] say קִידּוּשׁ on a כּוֹס [while it is still light]
אוֹ אֵינוֹ אוֹמֵר קְדוּשָּׁה עַל הַכּוֹס	or can he not say קִידּוּשׁ on a כּוֹס [while it is still light]?

The שְׁאֵלָה is very simple. We know that רַבִּי יְהוּדָה allowed us to daven מַעֲרִיב before nightfall. If someone does this on Friday evening, does this also allow him to say קִידּוּשׁ while it is still light, or does he have to wait for it to get dark?

STEP 3

The גְּמָרָא will now answer the שְׁאֵלָה by proving that one of the two possibilities is correct.

______________________________	ת"ש (תָּא שְׁמַע)
______ רַב נַחְמָן said in the name of שְׁמוּאֵל	דְּאָמַר רַב נַחְמָן אָמַר שְׁמוּאֵל
A man may daven a שַׁבָּת davening on עֶרֶב שַׁבָּת	מִתְפַּלֵּל אָדָם שֶׁל שַׁבָּת בְּעֶרֶב שַׁבָּת
and he can say קִידּוּשׁ on a כּוֹס [while it is still light].	וְאוֹמֵר קְדוּשָּׁה עַל הַכּוֹס

We clearly see that שְׁמוּאֵל taught us that you may make קִידּוּשׁ before nightfall.

STEP 4

The גְּמָרָא will now give a פְּסַק (a halachic ruling) on the issue:

And the הֲלָכָה is ______________________________ .	וְהִלְכְתָא כְּוָותֵיהּ

The גְּמָרָא rules like שְׁמוּאֵל, that one may make קִידּוּשׁ before nightfall.

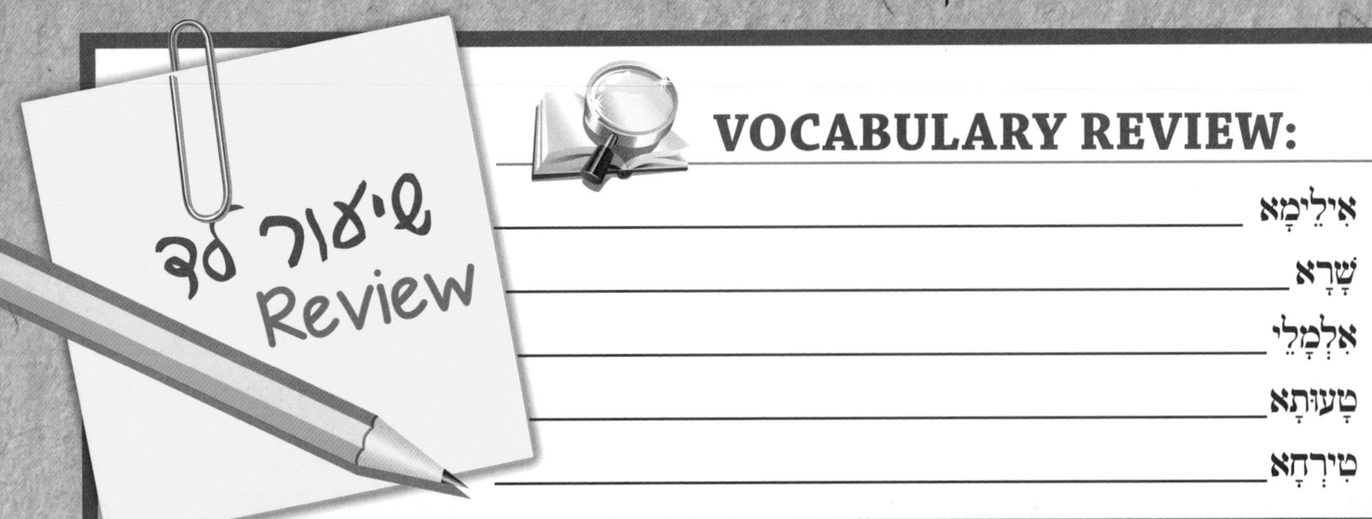

VOCABULARY REVIEW:

אִילֵימָא ______________________

שָׁרָא ______________________

אִלְמָלֵי ______________________

טָעוּתָא ______________________

טִירְחָא ______________________

PUT IT ALL TOGETHER:

1. Read, translate and explain the following גְּמָרָא.

א"ר
חִיָּיא בַּר אָבִין רַב צַלֵּי שֶׁל שַׁבָּת בְּעֶרֶב שַׁבָּת
רַבִּי יֹאשִׁיָּה מְצַלֵּי שֶׁל מוֹצָאֵי שַׁבָּת בְּשַׁבָּת רַב
צַלֵּי שֶׁל שַׁבָּת בְּעֶרֶב שַׁבָּת אוֹמֵר קְדוּשָּׁה עַל הַכּוֹס אוֹ אֵינוֹ אוֹמֵר קְדוּשָּׁה עַל
הַכּוֹס ת"ש דְּאָמַר רַב נַחְמָן אָמַר שְׁמוּאֵל מִתְפַּלֵּל אָדָם שֶׁל שַׁבָּת בְּעֶרֶב שַׁבָּת
וְאוֹמֵר קְדוּשָּׁה עַל הַכּוֹס וְהִלְכְתָא כְּוָותֵיהּ

2. What did רַב do about which we are asking a שְׁאֵלָה? ______________________

____

3. What is the שְׁאֵלָה? ______________________

____

4. What is the ANSWER to the שְׁאֵלָה? ______________________

____

5. How did we PROVE the answer? ______________________

____

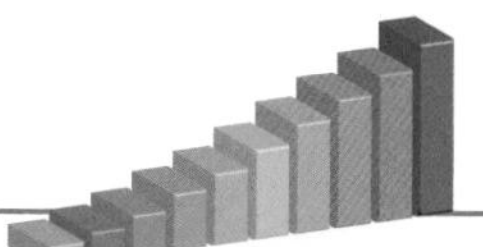

IDENTIFY THE STEPS:
BE SURE TO INCLUDE EVERY WORD.

א"ר
חִיָּיא בַּר אָבִין רַב צַלֵּי שֶׁל שַׁבָּת בְּעֶרֶב שַׁבָּת
רַבִּי יֹאשִׁיָּה מְצַלֵּי שֶׁל מוֹצָאֵי שַׁבָּת בְּשַׁבָּת רַב
צַלֵּי שֶׁל שַׁבָּת בְּעֶרֶב שַׁבָּת אוֹמֵר קְדוּשָּׁה עַל הַכּוֹס אוֹ אֵינוֹ אוֹמֵר קְדוּשָּׁה עַל
הַכּוֹס ת"ש דְּאָמַר רַב נַחְמָן אָמַר שְׁמוּאֵל [ח]מִתְפַּלֵּל אָדָם שֶׁל שַׁבָּת בְּעֶרֶב שַׁבָּת
וְאוֹמֵר קְדוּשָּׁה עַל הַכּוֹס וְהִלְכְתָא כְּוָותֵיהּ

Please underline the מֵימְרָא

Please [bracket] the שְׁאֵלָה

Please circle the תֵּירוּץ

Please (parenthesize) the מַסְקָנָא

MATCHING:

_____	1. Step 1 of the סוּגְיָא	א. קִידוּשׁ
_____	2. Step 2 of the סוּגְיָא	ב. מֵימְרָא
_____	3. Step 3 of the סוּגְיָא	ג. רַב
_____	4. Step 4 of the סוּגְיָא	ד. מַסְקָנָא
_____	5. He davened a מוֹצָאֵי שַׁבָּת davening on שַׁבָּת	ה. שְׁמוּאֵל
_____	6. He davened a שַׁבָּת davening on עֶרֶב שַׁבָּת	ו. שְׁאֵלָה
_____	7. Our שְׁאֵלָה was about saying _______ before nightfall	ז. תֵּירוּץ
_____	8. Our proof comes from his words	ח. רַבִּי יֹאשִׁיָּה

STEP 5

The גְמָרָא will now ask a שְׁאֵלָה about the second part of the מֵימְרָא (from שִׁיעוּר ל״ד). Once again, the גְמָרָא will repeat this half of the מֵימְרָא before discussing it:

רַבִּי יֹאשִׁיָּה מְצַלֵּי שֶׁל מוֹצָאֵי שַׁבָּת בְּשַׁבָּת	רַבִּי יֹאשִׁיָּה davened a מוֹצָאֵי שַׁבָּת davening on שַׁבָּת [after פְּלַג הַמִּנְחָה]
אוֹמֵר הַבְדָּלָה עַל הַכּוֹס	Can one [who does as רַבִּי יֹאשִׁיָּה did] say הַבְדָּלָה on a כּוֹס [while it is still light]
אוֹ אֵינוֹ אוֹמֵר הַבְדָּלָה עַל הַכּוֹס	or can he not say הַבְדָּלָה on a כּוֹס [while it is still light]?

Again, the שְׁאֵלָה is simple (especially because it is so similar to the שְׁאֵלָה in the last שִׁיעוּר). We know that רַבִּי יְהוּדָה allowed us to daven מַעֲרִיב before nightfall. If someone does this on שַׁבָּת afternoon (towards evening), does this also allow him to say הַבְדָּלָה while it is still light, or does he have to wait for it to get dark?

STEP 6

Once more, we will have a תֵּירוּץ\רַאֲיָה:

ת״ש	______________________________
דְּאָמַר רַב יְהוּדָה אָמַר שְׁמוּאֵל	רַב יְהוּדָה said in the name of שְׁמוּאֵל _____
מִתְפַּלֵּל אָדָם שֶׁל מוֹצָאֵי שַׁבָּת בְּשַׁבָּת	A man may daven a מוֹצָאֵי שַׁבָּת davening on שַׁבָּת
וְאוֹמֵר הַבְדָּלָה עַל הַכּוֹס	and he can say הַבְדָּלָה on a כּוֹס [while it is still light].

We clearly see that שְׁמוּאֵל taught us that you may make הַבְדָּלָה before nightfall.

תפלת השחר
פרק רביעי
ברכות

THINK A LITTLE DEEPER

In this שִׁיעוּר, the גְּמָרָא says that one may make הַבְדָּלָה while it is still light on שַׁבָּת afternoon. This may seem strange. How can a person make הַבְדָּלָה while it is still שַׁבָּת? It is, therefore, important to clarify a few points:

- First of all, the פּוֹסְקִים tell us that a person may only do this if he has no other option. For example, imagine that a person must be someplace when שַׁבָּת ends (in order to do a מִצְוָה) and he will have no wine there. Because he will not be able to make הַבְדָּלָה on a כּוֹס after שַׁבָּת has ended, he may therefore do it while it is still שַׁבָּת. However, a person may not choose to daven and make הַבְדָּלָה early simply because he wants to.
- Secondly, if a person makes הַבְדָּלָה before the end of שַׁבָּת, he still may not do any מְלָאכָה (actions that are forbidden on שַׁבָּת) until the time that שַׁבָּת ends. The fact that he made הַבְדָּלָה does not end שַׁבָּת for him. It simply means that when the time comes that שַׁבָּת is over, he will not have to make הַבְדָּלָה because he already has done so.
- Finally, the הַבְדָּלָה that he will make while it is still שַׁבָּת will not be exactly the same as the הַבְדָּלָה that he would normally make if שַׁבָּת was already over. Usually, during הַבְדָּלָה, we include the בְּרָכָה of בּוֹרֵא מְאוֹרֵי הָאֵשׁ. This בְּרָכָה thanks ה׳ for creating fire. We say this בְּרָכָה together with הַבְדָּלָה because it was on מוֹצָאֵי שַׁבָּת when ה׳ first gave אָדָם הָרִאשׁוֹן the ability to make fire. However, when a person makes הַבְדָּלָה before שַׁבָּת has ended, he does not make this בְּרָכָה together with הַבְדָּלָה. Instead, he would make this בְּרָכָה by itself when he sees a fire after שַׁבָּת has ended.

VOCABULARY REVIEW:

לָן ______

תְּנַן ______

הַשְׁתָּא ______

אֵינִי ______

וּרְמִינְהוּ ______

PUT IT ALL TOGETHER:

1. Read, translate and explain the following גְּמָרָא.

רַבִּי יֹאשִׁיָּה מְצַלֵּי שֶׁל מוֹצָאֵי שַׁבָּת בְּשַׁבָּת אוֹמֵר הַבְדָּלָה עַל הַכּוֹס אוֹ אֵינוֹ אוֹמֵר הַבְדָּלָה עַל הַכּוֹס ת״ש דְּאָמַר רַב יְהוּדָה אָמַר שְׁמוּאֵל [ט]מִתְפַּלֵּל אָדָם שֶׁל מוֹצָאֵי שַׁבָּת בְּשַׁבָּת וְאוֹמֵר הַבְדָּלָה עַל הַכּוֹס

2. What did רַבִּי יֹאשִׁיָּה do about which we are asking a שְׁאֵלָה? ______

3. What is the שְׁאֵלָה? ______

4. What is the ANSWER to the שְׁאֵלָה? ______

5. How did we PROVE the answer? ______

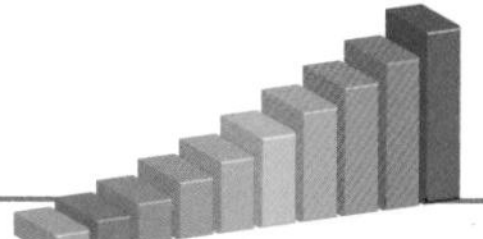

IDENTIFY THE STEPS:
BE SURE TO INCLUDE EVERY WORD.

רַבִּי יֹאשִׁיָּה מְצַלֵּי שֶׁל מוֹצָאֵי שַׁבָּת
בְּשַׁבָּת אוֹמֵר הַבְדָּלָה עַל הַכּוֹס אוֹ אֵינוֹ אוֹמֵר הַבְדָּלָה עַל הַכּוֹס ת״ש דְּאָמַר
רַב יְהוּדָה אָמַר שְׁמוּאֵל מִתְפַּלֵּל אָדָם שֶׁל מוֹצָאֵי שַׁבָּת בְּשַׁבָּת וְאוֹמֵר הַבְדָּלָה
עַל הַכּוֹס

Please underline the שְׁאֵלָה

Please [bracket] the תֵּירוּץ

MATCHING:

_____	1. Step 1 of the סוּגְיָא	א. הַבְדָּלָה
_____	2. Step 2 of the סוּגְיָא	ב. מֵימְרָא
_____	3. Step 3 of the סוּגְיָא	ג. שְׁאֵלָה
_____	4. Step 4 of the סוּגְיָא	ד. שְׁאֵלָה
_____	5. Step 5 of the סוּגְיָא	ה. תֵּירוּץ\רַאֲיָה
_____	6. Step 6 of the סוּגְיָא	ו. תֵּירוּץ\רַאֲיָה
_____	7. Our שְׁאֵלָה was about saying _______ before nightfall	ז. מַסְקָנָא
_____	8. Our proof comes from his words	ח. שְׁמוּאֵל

STEP 7

The גְּמָרָא ends the סוּגְיָא with a story:

רַבִּי זֵירָא said in the name of רַבִּי אַסִּי,	אָמַר ר׳ זֵירָא אָמַר רַבִּי אַסִּי
who had said in the name of רַבִּי אֶלְעָזָר, who had said in the name of רַבִּי חֲנִינָא,	אָמַר ר׳ אֶלְעָזָר א״ר חֲנִינָא
who had said in the name of רַב:	אָמַר רַב
Next to this pillar	בְּצַד עַמּוּד זֶה
רַבִּי יִשְׁמָעֵאל בְּרַבִּי יוֹסֵי davened a שַׁבָּת davening on עֶרֶב שַׁבָּת.	הִתְפַּלֵּל ר׳ יִשְׁמָעֵאל בְּר׳ יוֹסֵי שֶׁל שַׁבָּת בְּעֶרֶב שַׁבָּת

However, not everyone agreed to all of the details of the story (or to any of them):

When עוּלָּא ____________________	כִּי אֲתָא עוּלָּא
he said,	אָמַר
It was on the side of a date tree,	בְּצַד תְּמָרָה הֲוָה
and it was not on the side of a pillar.	וְלֹא בְּצַד עַמּוּד הֲוָה
And it was not רַבִּי יִשְׁמָעֵאל בְּרַבִּי יוֹסֵי,	וְלֹא ר׳ יִשְׁמָעֵאל בְּרַבִּי יוֹסֵי הֲוָה
rather, it was רַבִּי אֶלְעָזָר בְּרַבִּי יוֹסֵי.	אֶלָּא ר׳ אֶלְעָזָר בְּר׳ יוֹסֵי הֲוָה
And it was not a שַׁבָּת davening on עֶרֶב שַׁבָּת,	וְלֹא שֶׁל שַׁבָּת בְּעֶרֶב שַׁבָּת הֲוָה
rather, it was a מוֹצָאֵי שַׁבָּת davening on שַׁבָּת.	אֶלָּא שֶׁל מוֹצָאֵי שַׁבָּת בְּשַׁבָּת הֲוָה:

תפלת השחר
פרק רביעי
ברכות

 |

The Story According to רַבִּי זֵירָא

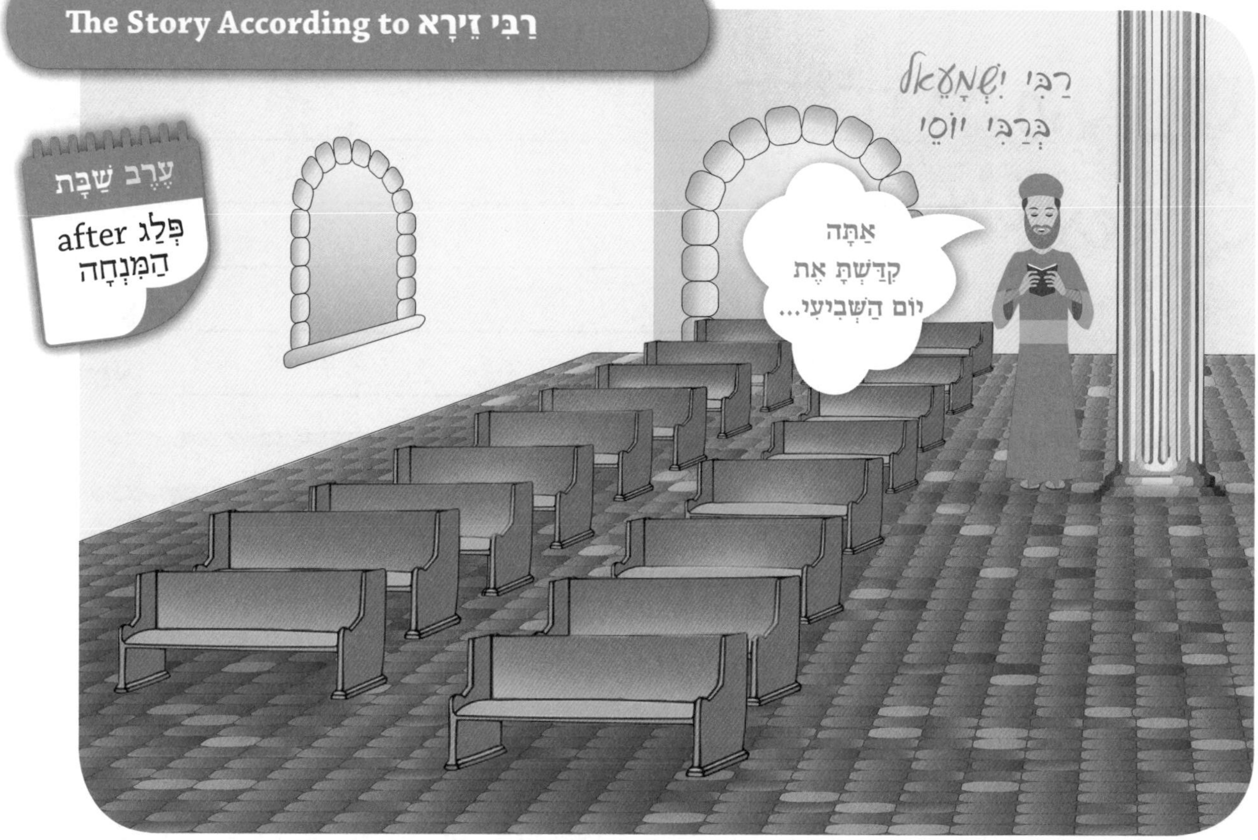

עֶרֶב שַׁבָּת
after פְּלַג הַמִּנְחָה
רַבִּי יִשְׁמָעֵאל בְּרַבִּי יוֹסֵי
אַתָּה קִדַּשְׁתָּ אֶת יוֹם הַשְּׁבִיעִי...

The Story According to עוּלָּא

שַׁבָּת
after פְּלַג הַמִּנְחָה
אַתָּה חוֹנֵן... אַתָּה חוֹנַנְתָּנוּ...
רַבִּי אֶלְעָזָר בְּרַבִּי יוֹסֵי

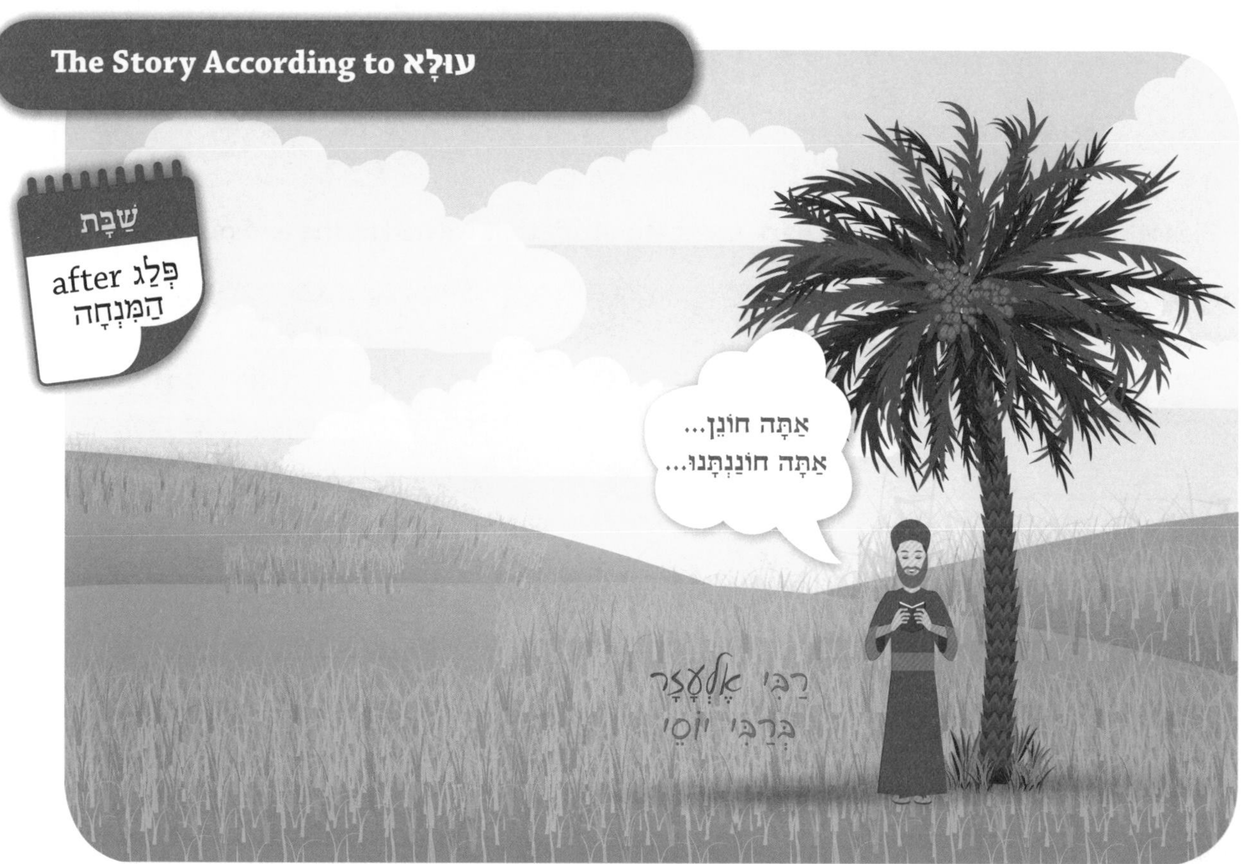

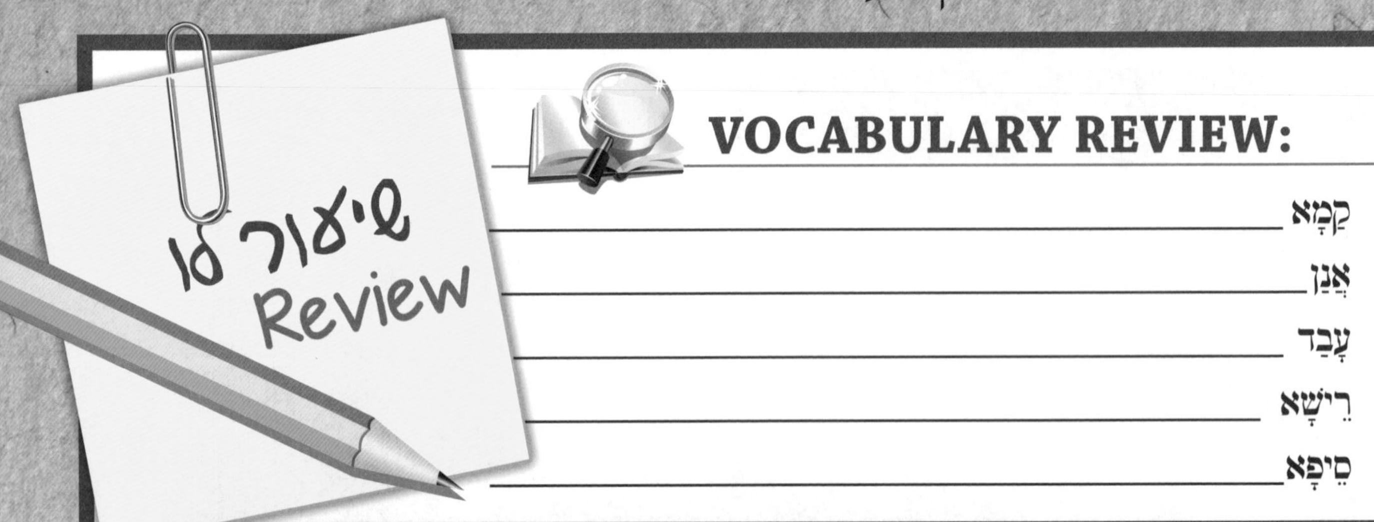

VOCABULARY REVIEW:

קַמָּא ____________________

אֲנַן ____________________

עֲבַד ____________________

רֵישָׁא ____________________

סֵיפָא ____________________

PUT IT ALL TOGETHER:

1. Read, translate and explain the following גְּמָרָא.

אָמַר ר׳ זֵירָא אָמַר רַבִּי אַסִּי אָמַר ר׳ אֶלְעָזָר א״ר חֲנִינָא אָמַר רַב בְּצַד עַמּוּד זֶה הִתְפַּלֵּל ר׳ יִשְׁמָעֵאל בְּר׳ יוֹסֵי שֶׁל שַׁבָּת בְּעֶרֶב שַׁבָּת כִּי אָתָא עוּלָּא אָמַר בְּצַד תְּמָרָה הֲוָה וְלֹא בְּצַד עַמּוּד הֲוָה וְלֹא ר׳ יִשְׁמָעֵאל בְּרַבִּי יוֹסֵי הֲוָה אֶלָּא ר׳ אֶלְעָזָר בְּר׳ יוֹסֵי הֲוָה וְלֹא שֶׁל שַׁבָּת בְּעֶרֶב שַׁבָּת הֲוָה אֶלָּא שֶׁל מוֹצָאֵי שַׁבָּת בְּשַׁבָּת הֲוָה:

2. Please complete the following chart about the story that we had at the end of our סוּגְיָא:

תְּפִלָּה	Place	Person	
			רַבִּי זֵירָא
			עוּלָּא

 |

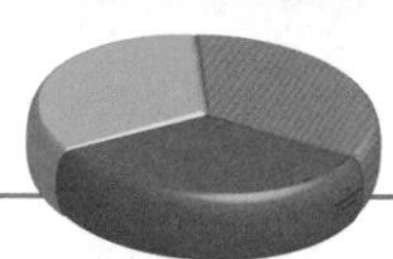

TAKE IT APART:

אָמַר ר' זֵירָא אָמַר רַבִּי אַסִּי אָמַר ר' אֶלְעָזָר א"ר חֲנִינָא אָמַר רַב בְּצַד עַמּוּד זֶה הִתְפַּלֵּל ר' יִשְׁמָעֵאל בְּר' יוֹסֵי שֶׁל שַׁבָּת בְּעֶרֶב שַׁבָּת כִּי אָתָא עוּלָּא אָמַר בְּצַד תְּמָרָה הֲוָה וְלֹא בְּצַד עַמּוּד הֲוָה וְלֹא ר' יִשְׁמָעֵאל בְּרַבִּי יוֹסֵי הֲוָה אֶלָּא ר' אֶלְעָזָר בְּר' יוֹסֵי הֲוָה וְלֹא שֶׁל שַׁבָּת בְּעֶרֶב שַׁבָּת הֲוָה אֶלָּא שֶׁל מוֹצָאֵי שַׁבָּת בְּשַׁבָּת הֲוָה:

1. This step of גְּמָרָא is a ________________.

2. Please summarize this step. ____

____

____

____

____

MATCHING:

_____	1. According to רַבִּי זֵירָא, who davened?	א. בְּצַד עַמּוּד
_____	2. According to עוּלָּא, who davened?	ב. רַבִּי יִשְׁמָעֵאל בְּרַבִּי יוֹסֵי
_____	3. According to רַבִּי זֵירָא, where did he daven?	ג. שֶׁל מוֹצָאֵי שַׁבָּת
_____	4. According to עוּלָּא, where did he daven?	ד. רַבִּי אֶלְעָזָר בְּרַבִּי יוֹסֵי
_____	5. According to רַבִּי זֵירָא, when did he daven?	ה. בְּצַד תְּמָרָה
_____	6. According to עוּלָּא, when did he daven?	ו. עֶרֶב שַׁבָּת
_____	7. According to רַבִּי זֵירָא, what type of תְּפִלָּה did he daven?	ז. שֶׁל שַׁבָּת
_____	8. According to עוּלָּא, what type of תְּפִלָּה did he daven?	ח. שַׁבָּת

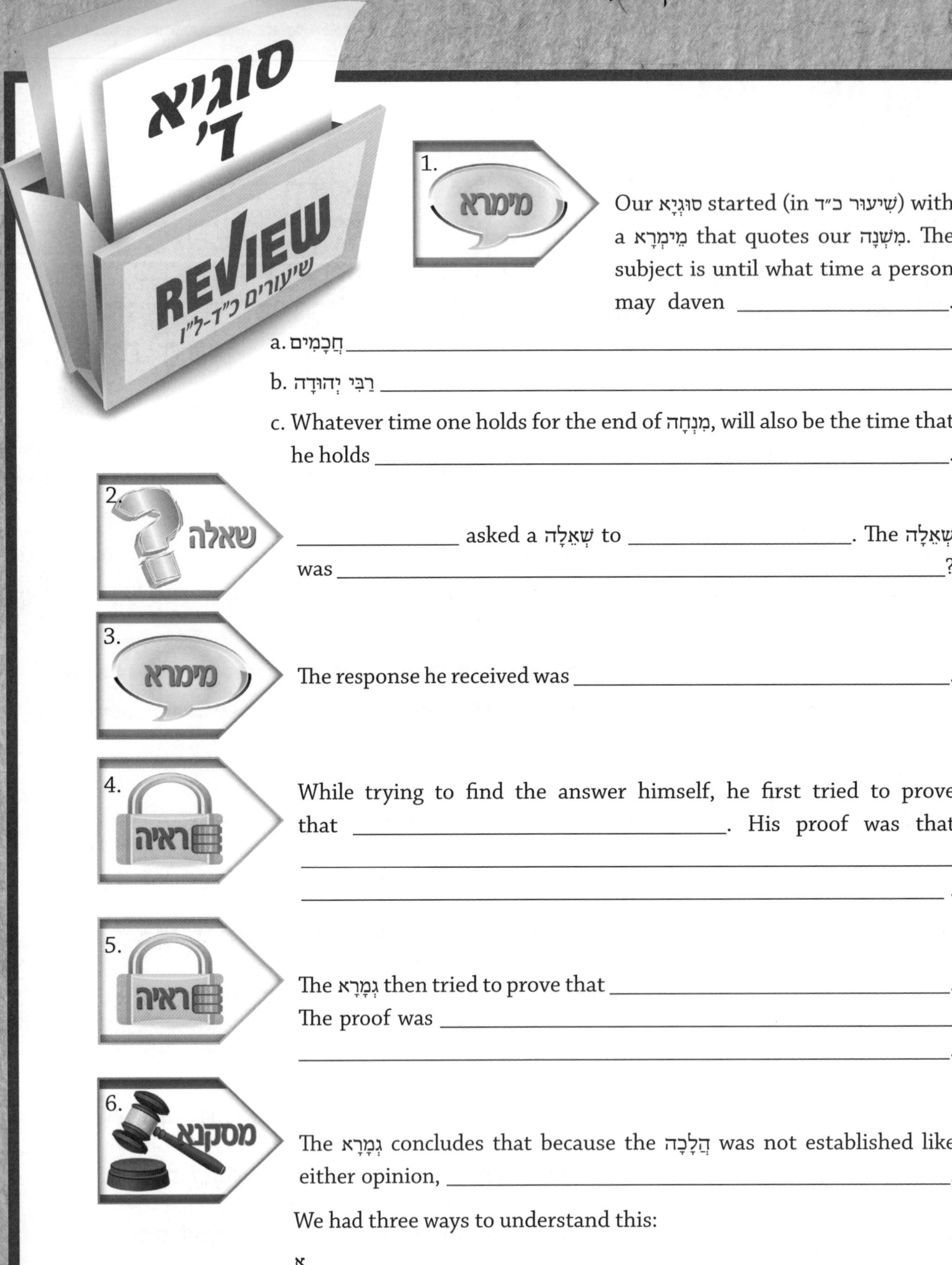

1.

Our סוּגְיָא started (in שִׁיעוּר כ״ד) with a מֵימְרָא that quotes our מִשְׁנָה. The subject is until what time a person may daven ____________________.

a. חֲכָמִים ____

b. רַבִּי יְהוּדָה ____

c. Whatever time one holds for the end of מִנְחָה, will also be the time that he holds ____.

2.

_______________ asked a שְׁאֵלָה to _____________________. The שְׁאֵלָה was ____?

3.

The response he received was ______________________________.

4.

While trying to find the answer himself, he first tried to prove that ______________________________. His proof was that ____

____.

5.

The גְּמָרָא then tried to prove that ______________________________.
The proof was ____

____.

6.

The גְּמָרָא concludes that because the הֲלָכָה was not established like either opinion, ______________________________.

We had three ways to understand this:

א. ____

ב. ____

ג. ____

1. מימרא Next (in שִׁיעוּר כ״ז), we were told a story about רַב going to someone's house. What happened was ____
____.

We learn ________ things from this story:

2. ראיה We prove that ____.

3. ראיה We prove that ____.

4. ראיה We prove that ____. This story proves correct the statement of רַבִּי יְהוֹשֻׁעַ בֶּן לֵוִי who said ______________
____.

5. קשיא We then asked that ___________ and ___________ seemed to violate this.

6. תירוץ We answered that what they did was different because ______________
____.

7. קשיא We then asked how רַבִּי יִרְמְיָה בַּר אַבָּא could do what he did. He seems to go against

א. ____

ב. ____

8. תירוץ We answered that רַבִּי יִרְמְיָה was different because ______________
____.

We proved that this was so because ______

______

______

We then questioned whether רַב really had to ______ ______. It seems that this is not true because one time רַבִּי ______

______

______

We answered that what רַבִּי did was different because ______

______

We then asked another question on רַב from a story where אַבַּיֵי ______

______

______

We answered that what אַבַּיֵי did was different because ______

______

We asked if a mistake ______. It would seem that it could not, because of a story where רַבִּי said ______

______

We explained that that story was different because ______

______

We made a statement (in שִׁיעוּר ל״ד) that רַב ______________________
and רַבִּי יֹאשִׁיָּה ______________________.

We asked a שְׁאֵלָה on רַב's actions. The שְׁאֵלָה was ______________________
______________________?

We answered (and proved) that ______________________.

The גְּמָרָא concludes that the הֲלָכָה is ______________________.

We asked a שְׁאֵלָה on רַבִּי יֹאשִׁיָּה's actions. The שְׁאֵלָה was ______________________
______________________?

We answered (and proved) that ______________________.

רַבִּי זֵירָא told us a story that ______________________
______________________.

עוּלָּא changed a few details. According to him, the story went as follows:
____
____
______________________.

Our סוּגְיָא is made up of the following steps of שַׁקְלָא וְטַרְיָא. Briefly explain each one.

מימרא 1. ______________________________

שאלה 2. ______________________________

3. ______________________________

4. ______________________________

5. ______________________________

6. ______________________________

1. ______________________________

2. ______________________________

3. ______________________________

ראיה 4. ______________________________

5. ______________________________

מתרץ 6. ______________________________

קשיא 7. ______________________________

מתרץ 8. ______________________________

ראיה 9. ______________________________

קשיא 10. ______________________________

מתרץ 11. ______________________________

קשיא 12. ______________________________

מתרץ 13. ______________________________

קשיא 14. ______________________________

מתרץ 15. ______________________________

מימרא 1. ______________________________

שאלה 2. ______________________________

מתרץ 3. ______________________________

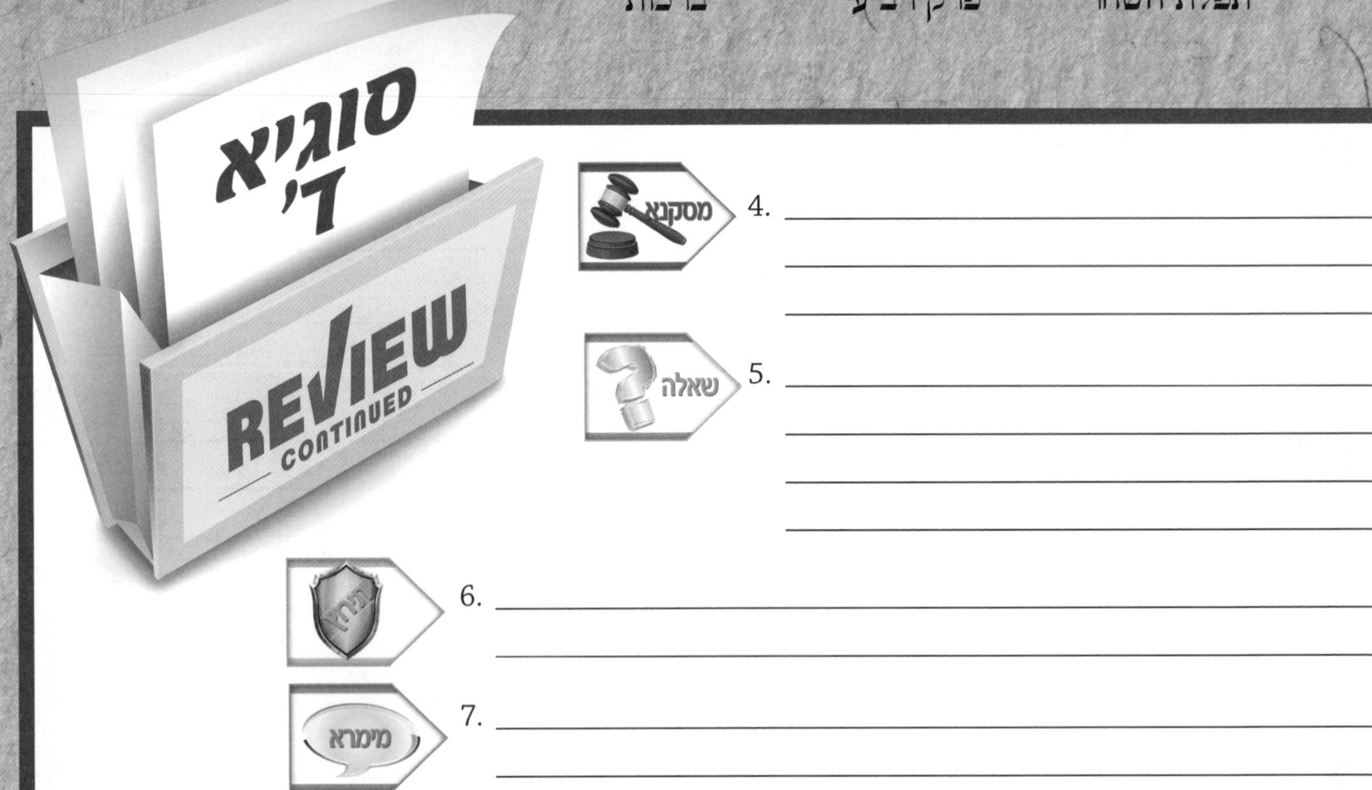

1. Place a small number at the beginning of each step (example: תְּפִלַּת הַמִּנְחָה[1]).

2. Highlight anything that is the statement of a תַּנָּא.

3. **Underline** any word that tells us that we will be having a מִשְׁנָה or בְּרַיְיתָא coming up.

תְּפִלַּת הַמִּנְחָה
עַד הָעֶרֶב וְכוּ׳: אָמַר לֵיהּ רַב חִסְדָּא לְרַב יִצְחָק הָתָם אָמַר רַב כַּהֲנָא הֲלָכָה כְּרַבִּי יְהוּדָה הוֹאִיל וּתְנַן בִּבְחִירְתָּא כַּוָּותֵיהּ הָכָא מַאי אִישְׁתִּיק וְלֹא אָמַר לֵיהּ וְלֹא מִידֵּי אָמַר רַב חִסְדָּא נֶחֱזֵי אֲנַן מִדְּרַב מְצַלֵּי שֶׁל שַׁבָּת בְּעֶרֶב שַׁבָּת מִבְּעוֹד יוֹם ש״מ הֲלָכָה כְּרַבִּי יְהוּדָה אַדְּרַבָּה מִדְּרַב הוּנָא וְרַבָּנָן לֹא הֲווּ מְצַלּוּ עַד אוּרְתָּא שְׁמַע מִינַּהּ אֵין הֲלָכָה כְּרַבִּי יְהוּדָה הַשְׁתָּא דְּלֹא אִתְּמַר הִלְכְתָא לֹא כְּמַר וְלֹא כְּמַר ^ח^דְּעָבַד כְּמַר עָבַד וּדְעָבַד כְּמַר עָבַד רַב אִיקְלַע לְבֵי גְּנִיבָא וְצַלֵּי שֶׁל שַׁבָּת בְּעֶרֶב שַׁבָּת וַהֲוָה מְצַלֵּי רַבִּי יִרְמְיָה בַּר אַבָּא ^ט^לַאֲחוֹרֵיהּ דְּרַב וְסַיֵּים רַב וְלֹא פַּסְקֵיהּ לִצְלוֹתֵיהּ דְּרַבִּי יִרְמְיָה שְׁמַע מִינַּהּ תְּלַת שְׁמַע מִינַּהּ ^ט^מִתְפַּלֵּל אָדָם שֶׁל שַׁבָּת בְּעֶרֶב שַׁבָּת וּשְׁמַע מִינַּהּ מִתְפַּלֵּל תַּלְמִיד אֲחוֹרֵי רַבּוֹ וּשְׁמַע מִינַּהּ ^י^אָסוּר לַעֲבוֹר כְּנֶגֶד הַמִּתְפַּלְּלִין מְסַיֵּיעַ לֵיהּ לְרַבִּי יְהוֹשֻׁעַ בֶּן לֵוִי דְּאָמַר רַבִּי יְהוֹשֻׁעַ בֶּן לֵוִי אָסוּר לַעֲבוֹר כְּנֶגֶד הַמִּתְפַּלְּלִין אֵינִי וְהָא רַבִּי אַמִּי וְרַבִּי אַסִּי חָלְפֵי רַבִּי אַמִּי וְרַבִּי אַסִּי חוּץ לְאַרְבַּע אַמּוֹת הוּא דְּחָלְפֵי וְרַבִּי יִרְמְיָה הֵיכִי עָבִיד הָכִי וְהָא אָמַר רַב יְהוּדָה לְעוֹלָם אַל יִתְפַּלֵּל אָדָם

לֹא [א]כְּנֶגֶד רַבּוֹ וְלֹא אֲחוֹרֵי רַבּוֹ וְתַנְיָא רַבִּי אֱלִיעֶזֶר אוֹמֵר הַמִּתְפַּלֵּל אֲחוֹרֵי רַבּוֹ [ב]וְהַנּוֹתֵן שָׁלוֹם לְרַבּוֹ °וְהַמַּחֲזִיר שָׁלוֹם לְרַבּוֹ* [ג]וְהַחוֹלֵק עַל יְשִׁיבָתוֹ שֶׁל רַבּוֹ וְהָאוֹמֵר *[ד]דָּבָר שֶׁלֹּא שָׁמַע מִפִּי רַבּוֹ גּוֹרֵם לַשְּׁכִינָה שֶׁתִּסְתַּלֵּק מִיִּשְׂרָאֵל שָׁאנִי רַבִּי יִרְמְיָה בַּר אַבָּא °[ה]דְּתַלְמִיד חָבֵר הֲוָה וְהַיְינוּ *דְּקָאָמַר לֵיהּ רַבִּי יִרְמְיָה בַּר אַבָּא לְרַב מִי בָּדְלַתְּ אֲמַר לֵיהּ אִין בָּדֵילְנָא וְלֹא אָמַר מִי בָּדִיל מַר וּמִי בָּדִיל וְהָאָמַר רַבִּי אָבִין פַּעַם אַחַת הִתְפַּלֵּל רַבִּי שֶׁל שַׁבָּת בְּעֶרֶב שַׁבָּת וְנִכְנַס לַמֶּרְחָץ וְיָצָא וְשָׁנָה לָן פִּרְקִין וַעֲדַיִין לֹא חָשְׁכָה *אָמַר רָבָא הַהוּא דְּנִכְנַס לְהָזִיעַ °וְקוֹדֶם גְּזֵירָה הֲוָה אֵינִי וְהָא אַבָּיֵי שָׁרָא לֵיהּ לְרַב דִּימִי בַּר לִיוָאֵי לְכַבְרוּיֵי סַלֵּי הַהוּא [ו]טָעוּתָא הֲוָאי וְטָעוּתָא מִי הַדְרָא וְהָא אָמַר אֲבִידָן פַּעַם אַחַת נִתְקַשְּׁרוּ שָׁמַיִם בְּעָבִים כִּסְבוּרִים הָעָם לוֹמַר חֲשֵׁכָה הוּא וְנִכְנְסוּ לְבֵית הַכְּנֶסֶת וְהִתְפַּלְּלוּ שֶׁל מוֹצָאֵי שַׁבָּת בְּשַׁבָּת וְנִתְפַּזְּרוּ הֶעָבִים וְזָרְחָה הַחַמָּה וּבָאוּ וְשָׁאֲלוּ אֶת רַבִּי וְאָמַר הוֹאִיל וְהִתְפַּלְּלוּ הִתְפַּלְּלוּ שָׁאנִי [ז]צִבּוּר דְּלָא מַטְרְחִינָן לְהוּ: א"ר חִיָּיא בַּר אָבִין רַב צַלֵּי שֶׁל שַׁבָּת בְּעֶרֶב שַׁבָּת רַבִּי יֹאשִׁיָּה מְצַלֵּי שֶׁל מוֹצָאֵי שַׁבָּת בְּשַׁבָּת רַב צַלֵּי שֶׁל שַׁבָּת בְּעֶרֶב שַׁבָּת אוֹמֵר קְדוּשָּׁה עַל הַכּוֹס אוֹ אֵינוֹ אוֹמֵר קְדוּשָּׁה עַל הַכּוֹס ת"ש דְּאָמַר רַב נַחְמָן אָמַר שְׁמוּאֵל [ח]מִתְפַּלֵּל אָדָם שֶׁל שַׁבָּת בְּעֶרֶב שַׁבָּת וְאוֹמֵר קְדוּשָּׁה עַל הַכּוֹס וְהִלְכְתָא כְּוָותֵיהּ רַבִּי יֹאשִׁיָּה מְצַלֵּי שֶׁל מוֹצָאֵי שַׁבָּת בְּשַׁבָּת אוֹמֵר הַבְדָּלָה עַל הַכּוֹס אוֹ אֵינוֹ אוֹמֵר הַבְדָּלָה עַל הַכּוֹס ת"ש דְּאָמַר רַב יְהוּדָה אָמַר שְׁמוּאֵל [ט]מִתְפַּלֵּל אָדָם שֶׁל מוֹצָאֵי שַׁבָּת בְּשַׁבָּת וְאוֹמֵר הַבְדָּלָה עַל הַכּוֹס אָמַר ר' זֵירָא אָמַר רַבִּי אַסִּי אָמַר ר' אֶלְעָזָר א"ר חֲנִינָא אָמַר רַב בְּצַד עַמּוּד זֶה הִתְפַּלֵּל ר' יִשְׁמָעֵאל בְּרַ' יוֹסֵי שֶׁל שַׁבָּת בְּעֶרֶב שַׁבָּת כִּי אֲתָא עוּלָּא אָמַר בְּצַד תְּמָרָה הֲוָה וְלֹא בְּצַד עַמּוּד הֲוָה וְלֹא ר' יִשְׁמָעֵאל בְּרַבִּי יוֹסֵי הֲוָה אֶלָּא ר' אֶלְעָזָר בְּרַ' יוֹסֵי הֲוָה וְלֹא שֶׁל שַׁבָּת בְּעֶרֶב שַׁבָּת הֲוָה אֶלָּא שֶׁל מוֹצָאֵי שַׁבָּת בְּשַׁבָּת הֲוָה:

סוגיא ה'

שיעורים
ל"ז - מ"ד

כז: lines 32-36

VOCABULARY WORDS

87. לֵיכָּא/לֵיתָא/לֵית

88. נִיחָא

STEP 1

The גְּמָרָא is once again ready to move on and discuss the next part of our מִשְׁנָה. By now, you don't even need to be reminded of how we know that this is what the גְּמָרָא is doing. But just in case...

׳ אֶלְעָזָר בְּר׳ יוֹסֵי הֲוָה וְלֹא שֶׁל שַׁבָּת בְּעֶרֶב שַׁבָּת הֲוָה אֶלָּא שֶׁל מוֹצָאֵי שַׁבָּת
שַׁבָּת הֲוָה: תְּפִלַּת הָעֶרֶב אֵין לָהּ קֶבַע: מַאי אֵין לָהּ קֶבַע אִילֵימָא ׳דְּאִי
עֵי מְצַלֵּי כּוּלֵּיהּ לֵילְיָא לִיתְנֵי תְּפִלַּת הָעֶרֶב כָּל הַלַּיְלָה אֶלָּא מַאי אֵין לָהּ קֶבַע

Now let's learn the מֵימְרָא (which is the quote from our מִשְׁנָה) that begins our סוּגְיָא:

The תְּפִלָּה of מַעֲרִיב	**תְּפִלַּת הָעֶרֶב**
has no set [time].	**אֵין לָהּ קֶבַע:**

STEP 2

The גְּמָרָא begins its discussion of תְּפִלַּת מַעֲרִיב by asking a שְׁאֵלָה to clarify what the מִשְׁנָה meant:

_______ [does it mean]	מַאי
"It has no set [time]?"	אֵין לָהּ קֶבַע

The גְּמָרָא wants to know what that expression means to tell us. But first, the גְּמָרָא will explain why the most obvious explanation cannot be the answer:

____________________ [that it means]	אִילֵימָא
"_____ if he ____________	דְּאִי בָּעֵי
he may daven the entire night,"	מְצַלֵּי כּוּלֵּיהּ לֵילְיָא
let the מִשְׁנָה teach	לִיתְנֵי
"The תְּפִלָּה of מַעֲרִיב is the entire night."	תְּפִלַּת הָעֶרֶב כָּל הַלַּיְלָה

If the expression "אֵין לָהּ קֶבַע" just meant that you can daven the entire night, the מִשְׁנָה would have simply said that. The expression "אֵין לָהּ קֶבַע" must have an additional meaning as well.

STEP 3

The גְּמָרָא will now tell us what the מִשְׁנָה meant when it said "אֵין לָהּ קֶבַע":

Rather,	אֶלָּא
_______ [does it mean] "it has no set [time]?"	מַאי אֵין לָהּ קֶבַע
[to teach us] like the one who says	כְּמַאן דְּאָמַר
the תְּפִלָּה of מַעֲרִיב is optional.	תְּפִלַּת עַרְבִית רְשׁוּת
_____ רַב יְהוּדָה said in the name of שְׁמוּאֵל,	דְּאָמַר רַב יְהוּדָה אָמַר שְׁמוּאֵל
The תְּפִלָּה of מַעֲרִיב	תְּפִלַּת עַרְבִית
רַבָּן גַּמְלִיאֵל says it is mandatory	רַבָּן גַּמְלִיאֵל אוֹמֵר חוֹבָה
and רַבִּי יְהוֹשֻׁעַ says it is optional	ר׳ יְהוֹשֻׁעַ אוֹמֵר רְשׁוּת

The מִשְׁנָה used the phrase אֵין לָהּ קֶבַע to tell us that the הֲלָכָה is like רַבִּי יְהוֹשֻׁעַ, who taught that מַעֲרִיב is optional and has "no set [obligation]."

STEP 4

The גְּמָרָא concludes with two different שִׁיטוֹת as to how we pasken:

אַבַּיֵי said	אָמַר אַבַּיֵי
the הֲלָכָה [is]	הֲלָכָה
like the one who says it is mandatory.	כְּדִבְרֵי הָאוֹמֵר חוֹבָה
And רָבָא said	וְרָבָא אָמַר
the הֲלָכָה [is]	הֲלָכָה
like the one who says it is optional.	כְּדִבְרֵי הָאוֹמֵר רְשׁוּת.

שיעור לב
Review

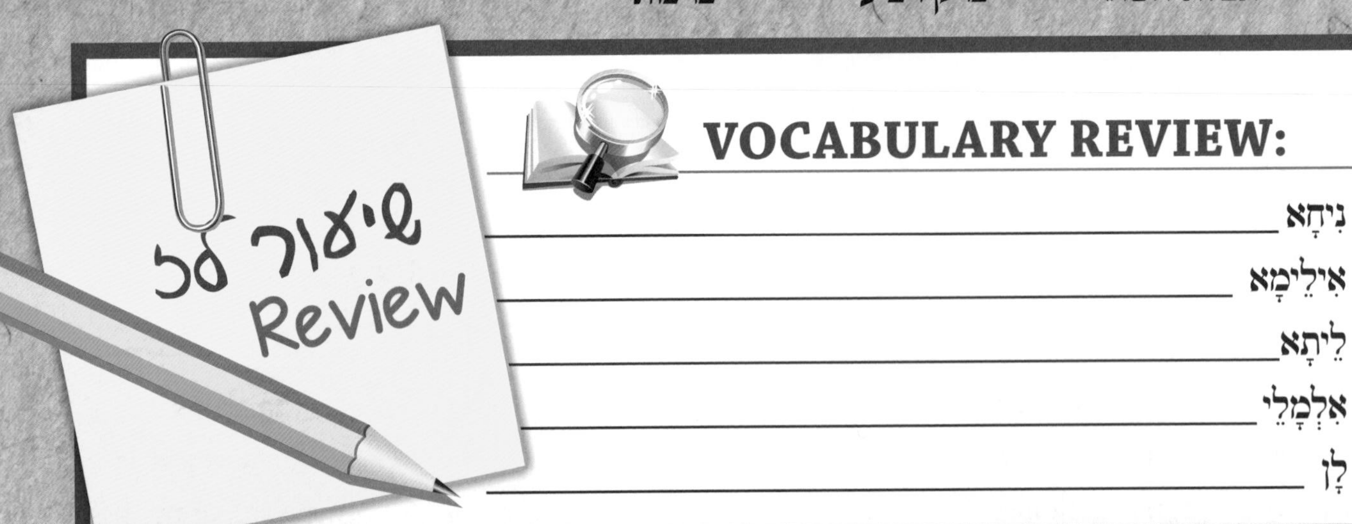

VOCABULARY REVIEW:

נִיחָא ______________________________

אִילֵימָא ______________________________

לֵיתָא ______________________________

אִלְמָלֵי ______________________________

לָן ______________________________

PUT IT ALL TOGETHER:

1. Read, translate and explain the following גְּמָרָא.

תְּפִלַּת הָעֶרֶב אֵין לָהּ קֶבַע: מַאי אֵין לָהּ קֶבַע אִילֵימָא דְּאִי בָּעֵי מְצַלֵּי כּוּלֵּיהּ לֵילְיָא לִיתְנֵי תְּפִלַּת הָעֶרֶב כָּל הַלַּיְלָה אֶלָּא מַאי אֵין לָהּ קֶבַע כְּמַאן דְּאָמַר *תְּפִלַּת עַרְבִית רְשׁוּת דְּאָמַר רַב יְהוּדָה אָמַר שְׁמוּאֵל תְּפִלַּת עַרְבִית רַבָּן גַּמְלִיאֵל אוֹמֵר חוֹבָה ר' יְהוֹשֻׁעַ אוֹמֵר *רְשׁוּת אָמַר אַבַּיֵּי הֲלָכָה כְּדִבְרֵי הָאוֹמֵר חוֹבָה וְרָבָא אָמַר הֲלָכָה כְּדִבְרֵי הָאוֹמֵר רְשׁוּת.

2. What did the מִשְׁנָה say that we are trying to understand? ______________________________

____

3. What was the most obvious explanation? ______________________________

____

4. Why did we reject this explanation? ______________________________

____

5. What final explanation did we give for the statement of the מִשְׁנָה? ______________________________

____

6. What מַחֲלוֹקֶת between תַּנָּאִים is there about מַעֲרִיב? (Who holds what?)

____

____

7. How do we pasken? (Who holds what?) ______________________________

____

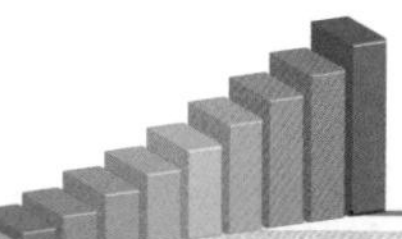

IDENTIFY THE STEPS:

BE SURE TO INCLUDE EVERY WORD.

תְּפִלַּת הָעֶרֶב אֵין לָהּ קֶבַע: מַאי אֵין לָהּ קֶבַע אִילֵימָא דְּאִי
בָּעֵי מְצַלֵּי כּוּלֵּיהּ לֵילְיָא לִיתְנֵי תְּפִלַּת הָעֶרֶב כָּל הַלַּיְלָה אֶלָּא מַאי אֵין לָהּ קֶבַע
כְּמַאן דְּאָמַר *תְּפִלַּת עַרְבִית רְשׁוּת דְּאָמַר רַב יְהוּדָה אָמַר שְׁמוּאֵל תְּפִלַּת
עַרְבִית רַבָּן גַּמְלִיאֵל אוֹמֵר חוֹבָה ר' יְהוֹשֻׁעַ אוֹמֵר *רְשׁוּת אָמַר אַבַּיֵּי הֲלָכָה
כְּדִבְרֵי הָאוֹמֵר חוֹבָה וְרָבָא אָמַר הֲלָכָה כְּדִבְרֵי הָאוֹמֵר רְשׁוּת.

Please underline the מֵימְרָא

Please [bracket] the שְׁאֵלָה

Please (circle) the תֵּירוּץ

Please (parenthesize) the מַסְקָנָא

MATCHING:

______	1. Step 1 of the סוּגְיָא	א. רְשׁוּת
______	2. Step 2 of the סוּגְיָא	ב. רַבָּן גַּמְלִיאֵל
______	3. Step 3 of the סוּגְיָא	ג. מַסְקָנָא
______	4. Step 4 of the סוּגְיָא	ד. מֵימְרָא
______	5. The מִשְׁנָה teaches us that מַעֲרִיב is a ______	ה. שְׁאֵלָה
______	6. רַבָּן גַּמְלִיאֵל holds that מַעֲרִיב is a ______	ו. אֵין לָהּ קֶבַע
______	7. רָבָא holds like ____________	ז. רַבִּי יְהוֹשֻׁעַ
______	8. The phrase of the מִשְׁנָה that we want to understand	ח. תֵּירוּץ
______	9. A much easier way to say that you can daven all night	ט. חוֹבָה
______	10. The תְּפִלָּה that we are now discussing	י. תְּפִלַּת הָעֶרֶב כָּל הַלַּיְלָה
______	11. אַבַּיֵּי holds like ____________	יא. מַעֲרִיב

We are now moving on to a very different type of גְּמָרָא. This form of גְּמָרָא is called "אַגַדְתָּא". In אַגַדְתָּא גְּמָרָא, we will sometimes learn stories, advice, medical information, or דְּרָשׁוֹת about stories in תַּנַ"ךְ. While a typical סוּגְיָא provides us with complex logical debate that stimulates our minds, אַגַדְתָּא is lighter and draws in our hearts. Therefore, our objective is very different while learning אַגַדְתָּא. First of all, we don't focus on the steps of שַׁקְלָא וְטַרְיָא (because there really aren't any). Instead, we pay attention to the details of what we are being told and we try to understand some of the valuable lessons that the גְּמָרָא is teaching us. The objective is to take these lessons and have them guide us in many areas of our lives.

The אַגַדְתָּא that we are about to learn is a story. To understand this story, it is important to have a bit of background information. This story takes place shortly after the second בֵּית הַמִּקְדָּשׁ was destroyed. The סַנְהֶדְרִין (the highest בֵּית דִּין of the בְּנֵי יִשְׂרָאֵל) had moved to the city of יַבְנֶה. At this time, the leader of the סַנְהֶדְרִין (called the נָשִׂיא) was רַבָּן גַּמְלִיאֵל. The second highest ranking member (called the אַב בֵּית דִּין) was רַבִּי יְהוֹשֻׁעַ.

______________________	ת"ר
There was a story	מַעֲשֶׂה
with one תַּלְמִיד	בְּתַלְמִיד אֶחָד
who came in before רַבִּי יְהוֹשֻׁעַ	שֶׁבָּא לִפְנֵי ר' יְהוֹשֻׁעַ
[and] he said _________ (the תַּלְמִיד to רַבִּי יְהוֹשֻׁעַ)	א"ל (אָמַר לֵיהּ)
[Is] the תְּפִלָּה of מַעֲרִיב optional or mandatory?	תְּפִלַּת עַרְבִית רְשׁוּת אוֹ חוֹבָה
He said ____________ (רַבִּי יְהוֹשֻׁעַ to the תַּלְמִיד)	אָמַר לֵיהּ
It is optional.	רְשׁוּת
He (the תַּלְמִיד) came before רַבָּן גַּמְלִיאֵל	בָּא לִפְנֵי רַבָּן גַּמְלִיאֵל
[and] he said ___________ (the תַּלְמִיד to רַבָּן גַּמְלִיאֵל)	א"ל
[Is] the תְּפִלָּה of מַעֲרִיב optional or mandatory?	תְּפִלַּת עַרְבִית רְשׁוּת אוֹ חוֹבָה
He said ____________ (רַבָּן גַּמְלִיאֵל to the תַּלְמִיד)	א"ל
It is mandatory.	חוֹבָה
He said ___________ (the תַּלְמִיד to רַבָּן גַּמְלִיאֵל)	א"ל
But didn't רַבִּי יְהוֹשֻׁעַ say to me	וַהֲלֹא ר' יְהוֹשֻׁעַ אָמַר לִי
[it is] optional!?	רְשׁוּת
He said ______________	א"ל
Wait	הַמְתֵּן
until the soldiers* (חֲכָמִים) enter	עַד שֶׁיִּכָּנְסוּ בַּעֲלֵי תְּרִיסִין

*The literal translation of בַּעֲלֵי תְּרִיסִין is "people holding shields." The חֲכָמִים were called this because they engaged in "מִלְחַמְתָּהּ שֶׁל תּוֹרָה - The war of תּוֹרָה."

the בֵּית הַמִּדְרָשׁ.	לְבֵית הַמִּדְרָשׁ
When the soldiers (חֲכָמִים) entered,	כְּשֶׁנִּכְנְסוּ בַּעֲלֵי תְּרִיסִין
the asker stood	עָמַד הַשּׁוֹאֵל
and asked	וְשָׁאַל
[Is] the תְּפִלָּה of מַעֲרִיב optional or mandatory?	תְּפִלַּת עַרְבִית רְשׁוּת אוֹ חוֹבָה
רַבָּן גַּמְלִיאֵל said ____________	א"ל רַבָּן גַּמְלִיאֵל
It is mandatory.	חוֹבָה
רַבָּן גַּמְלִיאֵל said to the חֲכָמִים	אָמַר לָהֶם רַבָּן גַּמְלִיאֵל לַחֲכָמִים
Is there any man	כְּלוּם יֵשׁ אָדָם
that argues on this matter?	שֶׁחוֹלֵק בְּדָבָר זֶה
רַבִּי יְהוֹשֻׁעַ said ____________	אָמַר לֵיהּ ר' יְהוֹשֻׁעַ
No.	לָאו
____________ ____________ (רַבִּי יְהוֹשֻׁעַ to רַבָּן גַּמְלִיאֵל)	א"ל
But isn't it in your name that they said to me	וַהֲלֹא מִשְּׁמְךָ אָמְרוּ לִי
it is optional!?	רְשׁוּת
____________ ____________ (רַבִּי יְהוֹשֻׁעַ to רַבָּן גַּמְלִיאֵל)	אָמַר לֵיהּ
יְהוֹשֻׁעַ – stand on your feet	יְהוֹשֻׁעַ עֲמוֹד עַל רַגְלֶיךָ
and they will testify about you!	וְיָעִידוּ בְּךָ
רַבִּי יְהוֹשֻׁעַ stood on his feet	עָמַד רַבִּי יְהוֹשֻׁעַ עַל רַגְלָיו
and he said	וְאָמַר
________________________	אִלְמָלֵא [אִלְמָלֵי] *
that I was alive and he (the תַּלְמִיד) was dead,	אֲנִי חַי וְהוּא מֵת
a living person is able	יָכוֹל הַחַי
to deny [the words of] the dead.	לְהַכְחִישׁ אֶת הַמֵּת
[But] now	וְעַכְשָׁיו
that I am alive and he is alive,	שֶׁאֲנִי חַי וְהוּא חַי
how is a living person able	הֵיאַךְ יָכוֹל הַחַי
to deny [the words of] the living?	לְהַכְחִישׁ אֶת הַחַי

FOOD FOR THOUGHT...

WE WILL ANSWER THESE QUESTIONS WHEN WE FINISH THE STORY.

Why did רַבִּי יְהוֹשֻׁעַ say something that was seemingly not true?
Why did רַבָּן גַּמְלִיאֵל make such a big deal of the fact that רַבִּי יְהוֹשֻׁעַ disagreed?
Why was this תַּלְמִיד trying to cause trouble?

* We have inserted the גִּירְסָא of אִלְמָלֵי as per רַב נִסִּים גָּאוֹן.

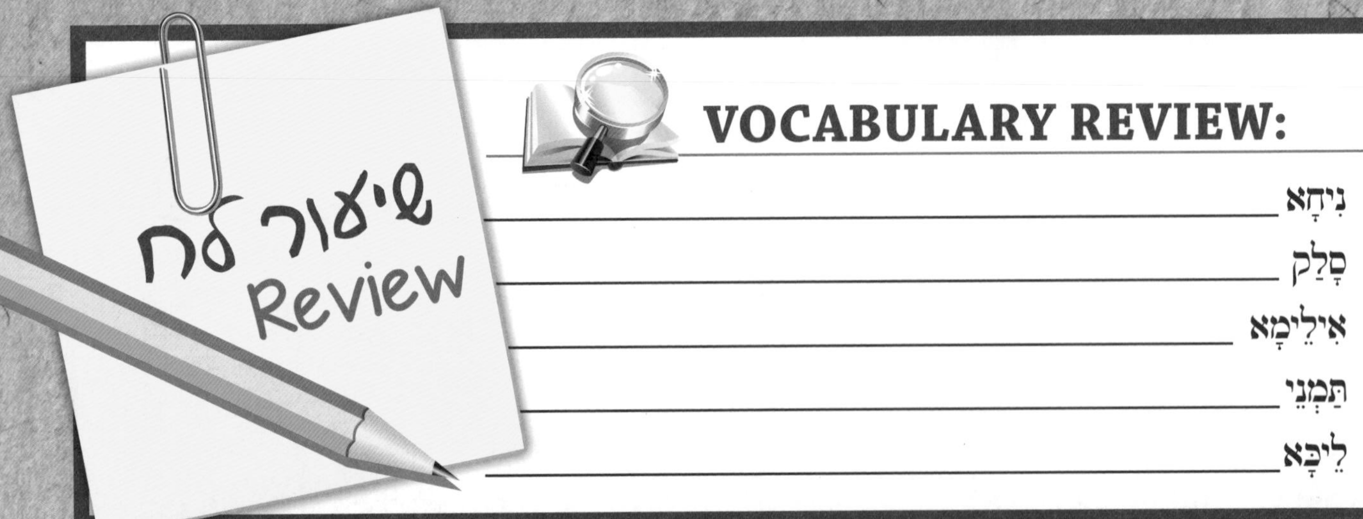

VOCABULARY REVIEW:

נִיחָא ____________________

סָלֵק ____________________

אִילֵימָא ____________________

תַּמְנֵי ____________________

לֵיכָּא ____________________

PUT IT ALL TOGETHER:

1. Read, translate and explain the following גְּמָרָא.

ת"ר מַעֲשֶׂה
בְּתַלְמִיד אֶחָד שֶׁבָּא לִפְנֵי ר' יְהוֹשֻׁעַ א"ל תְּפִלַּת עַרְבִית רְשׁוּת אוֹ חוֹבָה אָמַר
לֵיהּ רְשׁוּת בָּא לִפְנֵי רַבָּן גַּמְלִיאֵל א"ל תְּפִלַּת עַרְבִית רְשׁוּת אוֹ חוֹבָה א"ל חוֹבָה
א"ל וַהֲלֹא ר' יְהוֹשֻׁעַ אָמַר לִי רְשׁוּת א"ל *הַמְתֵּן עַד שֶׁיִּכָּנְסוּ בַּעֲלֵי תְּרִיסִין לְבֵית
הַמִּדְרָשׁ כְּשֶׁנִּכְנְסוּ בַּעֲלֵי תְּרִיסִין עָמַד הַשּׁוֹאֵל וְשָׁאַל תְּפִלַּת עַרְבִית רְשׁוּת אוֹ חוֹבָה א"ל רַבָּן גַּמְלִיאֵל חוֹבָה אָמַר
לָהֶם רַבָּן גַּמְלִיאֵל לַחֲכָמִים כְּלוּם יֵשׁ אָדָם שֶׁחוֹלֵק בְּדָבָר זֶה אָמַר לֵיהּ ר' יְהוֹשֻׁעַ לָאו א"ל וַהֲלֹא מִשְּׁמְךָ אָמְרוּ לִי
רְשׁוּת אָמַר לֵיהּ יְהוֹשֻׁעַ עֲמוֹד עַל רַגְלֶיךָ וְיָעִידוּ בְּךָ עָמַד רַבִּי יְהוֹשֻׁעַ עַל רַגְלָיו וְאָמַר אִלְמָלֵא אֲנִי חַי וְהוּא מֵת
יָכוֹל הַחַי לְהַכְחִישׁ אֶת הַמֵּת וְעַכְשָׁיו שֶׁאֲנִי חַי וְהוּא חַי הֵיאַךְ יָכוֹל הַחַי לְהַכְחִישׁ אֶת הַחַי

2. What did the תַּלְמִיד ask? ____________________

3. Whom did he ask first? ____________________

4. What answer did he get? ____________________

5. Whom did he ask second? ____________________

6. What answer did he get? ____________________

7. What did רַבִּי יְהוֹשֻׁעַ say when he was asked if he disagreed? ____________________

____

8. What did רַבָּן גַּמְלִיאֵל tell רַבִּי יְהוֹשֻׁעַ to do? ____________________

____

9. What did רַבִּי יְהוֹשֻׁעַ say when he was confronted about the fact that he disagreed? ____________________

____

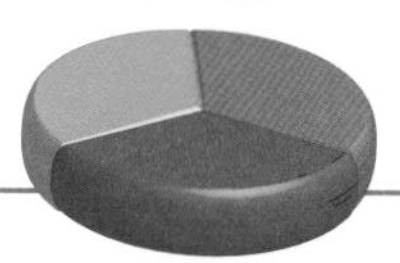

TAKE IT APART:

The type of גְּמָרָא that we are starting in this שִׁיעוּר is called ________________.

ת"ר מַעֲשֶׂה
בְּתַלְמִיד אֶחָד שֶׁבָּא לִפְנֵי ר' יְהוֹשֻׁעַ א"ל תְּפִלַּת עַרְבִית רְשׁוּת אוֹ חוֹבָה אָמַר
לֵיהּ רְשׁוּת בָּא לִפְנֵי רַבָּן גַּמְלִיאֵל א"ל תְּפִלַּת עַרְבִית רְשׁוּת אוֹ חוֹבָה א"ל חוֹבָה
א"ל וַהֲלֹא ר' יְהוֹשֻׁעַ אָמַר לִי רְשׁוּת א"ל *הַמְתֵּן עַד שֶׁיִּכָּנְסוּ בַּעֲלֵי תְּרִיסִין לְבֵית
הַמִּדְרָשׁ כְּשֶׁנִּכְנְסוּ בַּעֲלֵי תְּרִיסִין עָמַד הַשּׁוֹאֵל וְשָׁאַל תְּפִלַּת עַרְבִית רְשׁוּת אוֹ חוֹבָה א"ל רַבָּן גַּמְלִיאֵל חוֹבָה אָמַר
לָהֶם רַבָּן גַּמְלִיאֵל לַחֲכָמִים כְּלוּם יֵשׁ אָדָם שֶׁחוֹלֵק בְּדָבָר זֶה אָמַר לֵיהּ ר' יְהוֹשֻׁעַ לָאו א"ל וַהֲלֹא מִשְּׁמְךָ אָמְרוּ לִי
רְשׁוּת אָמַר לֵיהּ יְהוֹשֻׁעַ עֲמוֹד עַל רַגְלֶיךָ וְיָעִידוּ בְּךָ עָמַד רַבִּי יְהוֹשֻׁעַ עַל רַגְלָיו וְאָמַר אִלְמָלֵא אֲנִי חַי וְהוּא מֵת
יָכוֹל הַחַי לְהַכְחִישׁ אֶת הַמֵּת וְעַכְשָׁיו שֶׁאֲנִי חַי וְהוּא חַי הֵיאַךְ יָכוֹל הַחַי לְהַכְחִישׁ אֶת הַחַי

MATCHING:

_____ 1. The שִׁיטָה of רַבָּן גַּמְלִיאֵל — א. בַּעֲלֵי תְּרִיסִין

_____ 2. The נָשִׂיא — ב. תַּלְמִיד אֶחָד

_____ 3. The חֲכָמִים — ג. הַחַי

_____ 4. The living cannot contradict ________ — ד. רְשׁוּת

_____ 5. רַבִּי יְהוֹשֻׁעַ's answer when asked if he argued — ה. לָאו

_____ 6. The one who asked the question — ו. רַבָּן גַּמְלִיאֵל

_____ 7. The תְּפִלָּה about which they were discussing — ז. תְּפִלַּת עַרְבִית

_____ 8. The שִׁיטָה of רַבִּי יְהוֹשֻׁעַ — ח. רַבִּי יְהוֹשֻׁעַ

_____ 9. The אַב בֵּית דִּין — ט. הַמֵּת

_____ 10. The living can contradict ________ — י. חוֹבָה

_____ 11. The command given to רַבִּי יְהוֹשֻׁעַ — יא. עֲמוֹד עַל רַגְלֶיךָ

VOCABULARY WORDS

91. הוֹאִיל

92. הֲוָה

The story continues:

In those days, when the תַּנָּא was saying the שִׁיעוּר, he would speak softly, and the תּוּרְגְּמָן (the announcer) would say it loud enough for everyone to hear. The תּוּרְגְּמָן in the days of רַבָּן גַּמְלִיאֵל was named חוּצְפִּית.

רַבָּן גַּמְלִיאֵל was sitting and giving his דְּרָשָׁה (lecture)	הָיָה רַבָּן גַּמְלִיאֵל יוֹשֵׁב וְדוֹרֵשׁ
and רַבִּי יְהוֹשֻׁעַ was standing on his feet	וְר׳ יְהוֹשֻׁעַ עוֹמֵד עַל רַגְלָיו
until all the people cried out	עַד שֶׁרִנְּנוּ כָּל הָעָם
and said to חוּצְפִּית the announcer	וְאָמְרוּ לְחוּצְפִּית הַתּוּרְגְּמָן
Stop!	עֲמוֹד
And he stopped.	וְעָמַד
They said	אַמְרֵי
How long	עַד כַּמָּה
will he pain him and continue?	נְצַעֲרֵיהּ וְנֵיזִיל
On רֹאשׁ הַשָּׁנָה last year	בְּר״ה אֶשְׁתָּקַד
he pained him!	צַעֲרֵיהּ
In מַסֶּכֶת בְּכוֹרוֹת	בִּבְכוֹרוֹת
in the story with רַבִּי צָדוֹק	בְּמַעֲשֶׂה דְּר׳ צָדוֹק
he pained him!	צַעֲרֵיהּ
______________ ______________________	הָכָא נַמִּי
he pained him!	צַעֲרֵיהּ
Come and we will remove him [from being the נָשִׂיא].	תָּא וּנְעַבְרֵיהּ

The חֲכָמִים will now discuss some potential candidates and explain why they cannot be chosen as the new נָשִׂיא.

Who will we appoint in his place?	**מַאן נוֹקִים לֵיהּ**
Should we appoint רַבִּי יְהוֹשֻׁעַ?	**נוֹקְמֵיהּ לְרַבִּי יְהוֹשֻׁעַ**
[No. We can't, because] he was the one involved in the story.	**בַּעַל מַעֲשֶׂה הוּא**

To appoint the very person with whom רַבָּן גַּמְלִיאֵל was involved when he lost his job would be extra painful and embarrassing to רַבָּן גַּמְלִיאֵל. From this we can learn an unbelievable lesson. The חֲכָמִים were ready to pass up on having the most qualified person as נָשִׂיא in order to save someone some extra shame!

Should we appoint רַבִּי עֲקִיבָא?	**נוֹקְמֵיהּ לְר׳ עֲקִיבָא**
[No. We can't, because] _________ [רַבָּן גַּמְלִיאֵל] would harm him	**דִּילְמָא עָנִישׁ לֵיהּ**
____________ he doesn't have זְכוּת אָבוֹת (merit of his ancestors).	**דְּלֵית לֵיהּ זְכוּת אָבוֹת**

Although רַבָּן גַּמְלִיאֵל never had any intention to harm the new נָשִׂיא, the חֲכָמִים had an obligation to choose someone who would be immune from harm. The נָשִׂיא, therefore, would need to have a lot of זְכוּיוֹת (merits) from his ancestors to protect him. רַבִּי עֲקִיבָא was a descendant of גֵרִים, and therefore did not have this protection.

Rather,	**אֶלָּא**
We should appoint רַבִּי אֶלְעָזָר בֶּן עֲזַרְיָה	**נוֹקְמֵיהּ לְר׳ אֶלְעָזָר בֶּן עֲזַרְיָה**
____________ he is wise	**דְּהוּא חָכָם**
and he is rich	**וְהוּא עָשִׁיר**
and he is the tenth [generation descendant] of עֶזְרָא.	**וְהוּא עֲשִׂירִי לְעֶזְרָא**

The חֲכָמִים will now explain why each of these characteristics are important for the נָשִׂיא:

He is wise	**הוּא חָכָם**
____________ if they ask him a קֻשְׁיָא	**דְּאִי מַקְשֵׁי לֵיהּ**
he can answer it.	**מְפָרֵק לֵיהּ**
And he is rich	**וְהוּא עָשִׁיר**
____________ if he has to send a gift*	**דְּאִי אִית לֵיהּ לְפַלּוּחֵי**
to [bribe] the Caesar	**לְבֵי קֵיסָר**
he will also _______ and give.	**אַף הוּא אָזַל וּפָלַח**
And he is the tenth [generation descendant] of עֶזְרָא	**וְהוּא עֲשִׂירִי לְעֶזְרָא**
__________ he has זְכוּת אָבוֹת (merit of his ancestors)	**דְּאִית לֵיהּ זְכוּת אָבוֹת**
and [רַבָּן גַּמְלִיאֵל] will not be able to harm him.	**וְלָא מָצֵי עָנִישׁ לֵיהּ**

*The literal translation of לְפַלּוּחֵי is "to serve." We have explained it to mean "to send a gift/bribe" in accordance with Rashi in מַסֶּכֶת עֲבוֹדָה זָרָה דַף יח.

PUT IT ALL TOGETHER:

1. Read, translate and explain the גְּמָרָא found on top of the next page.

2. What was רַבָּן גַּמְלִיאֵל doing that bothered the people? ____________________

3. What is the תּוּרְגְּמָן? ____________________

4. Who was the תּוּרְגְּמָן at this time? ____________________

5. What did they tell the תּוּרְגְּמָן to do? ____________________

6. How many times did רַבָּן גַּמְלִיאֵל embarrass רַבִּי יְהוֹשֻׁעַ? ____________________

7. What did the people decide to do? ____________________

8. Who were the two potential candidates that were rejected? Why?

   א. Person ______________ Reason ____________________

   ב. Person ______________ Reason ____________________

9. What lesson do we learn from the fact that they did not choose רַבִּי יְהוֹשֻׁעַ? ____________________

10. Who was finally chosen? ____________________

11. What were his three qualifications? Why was each one important?

    א. Qualification ______________ Importance ____________________

    ב. Qualification ______________ Importance ____________________

    ג. Qualification ______________ Importance ____________________

הָיָה רַבָּן גַּמְלִי

יוֹשֵׁב וְדוֹרֵשׁ וְר׳ יְהוֹשֻׁעַ עוֹמֵד עַל רַגְלָיו עַד שֶׁרִנְּנוּ כָּל הָעָם וְאָמְרוּ לְחוּצְפִּית הַתּוּרְגְּמָן עֲמוֹד וְעָ
אַמְרֵי עַד כַּמָּה נְצַעֲרֵיהּ וְנֵיזִיל בְּר״ה אֶשְׁתָּקַד צַעֲרֵיהּ בִּבְכוֹרוֹת בְּמַעֲשֶׂה דְּר׳ צָדוֹק צַעֲרֵיהּ הָכָא נ
צַעֲרֵיהּ תָּא וּנְעַבְרֵיהּ מַאן נוֹקִים לֵיהּ נוֹקְמֵיהּ לְרַבִּי יְהוֹשֻׁעַ בַּעַל מַעֲשֶׂה הוּא נוֹקְמֵיהּ לְר׳ עֲקִיבָא דִּילְ
עָנִישׁ לֵיהּ דְּלֵית לֵיהּ זְכוּת אָבוֹת אֶלָּא נוֹקְמֵיהּ לְר׳ אֶלְעָזָר בֶּן עֲזַרְיָה דְּהוּא חָכָם וְהוּא עָשִׁיר וְהוּא עֲשִׂ
לְעֶזְרָא הוּא חָכָם דְּאִי מַקְשֵׁי לֵיהּ מְפָרֵק לֵיהּ וְהוּא עָשִׁיר דְּאִי אִית לֵיהּ לְפַלּוּחֵי לְבֵי קֵיסָר אַף הוּא אָזֵל וּפָ
וְהוּא עֲשִׂירִי לְעֶזְרָא דְּאִית לֵיהּ זְכוּת אָבוֹת וְלָא מָצֵי עָנִישׁ לֵיהּ

MATCHING:

______	1. Involved in the second story where רַבִּי יְהוֹשֻׁעַ was pained	א. חוּצְפִּית
______	2. He can answer קוּשְׁיוֹת because he is a _____	ב. רַבָּן גַּמְלִיאֵל
______	3. Can't be נָשִׂיא because he has no זְכוּת אָבוֹת	ג. רַבִּי צָדוֹק
______	4. Excellent זְכוּת אָבוֹת because he is _______	ד. רַבִּי אֶלְעָזָר בֶּן עֲזַרְיָה
______	5. The תּוּרְגְּמָן	ה. חָכָם
______	6. Was chosen to be the new נָשִׂיא	ו. רַבִּי יְהוֹשֻׁעַ
______	7. Was removed from being נָשִׂיא	ז. רֹאשׁ הַשָּׁנָה
______	8. Can't be נָשִׂיא because it would shame רַבָּן גַּמְלִיאֵל	ח. עָשִׁיר
______	9. The first time רַבִּי יְהוֹשֻׁעַ was pained	ט. רַבִּי עֲקִיבָא
______	10. Can help give gifts to Caesar because he is an _____	י. עֲשִׂירִי לְעֶזְרָא

VOCABULARY REVIEW:

תַּמְנֵי ______________________________

סָלַק ______________________________

אִלְמָלֵי ______________________________

הוֹאִיל ______________________________

הֲוָה ______________________________

שיעור מ
כז: line 49 - כח. line 7

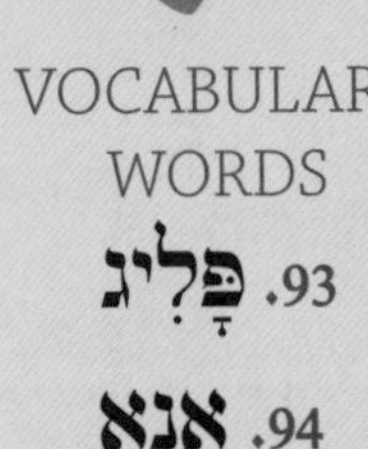

VOCABULARY WORDS
93. פָּלִיג
94. אֲנָא

תפלת השחר
פרק רביעי
ברכות

The story continues:

Once the חֲכָמִים had chosen רַבִּי אֶלְעָזָר בֶּן עֲזַרְיָה to be the new נָשִׂיא, they had to ask him if he agreed to take the job.

They came	**אָתוּ**
and they said ______________	**וְאָמְרוּ לֵיהּ**
Is it ______________ for the ________________	**נִיחָא לֵיהּ לְמַר**
_______ he should be the רֹאשׁ יְשִׁיבָה?	**דְּלֶיהֱוֵי רֵישׁ מְתִיבְתָּא**
He said ________________	**אָמַר לְהוּ**
I will _______________	**אֵיזִיל**
and consult the people of my house.	**וְאִימְלִיךְ בְּאִינְשֵׁי בֵיתִי**
He went	**אָזַל**
and he consulted with his wife.	**וְאִמְלִיךְ בִּדְבֵיתְהוּ**
She said ________________	**אָמְרָה לֵיהּ**
________________ they will remove you!	**דִּלְמָא מְעַבְרִין לָךְ**

רַבִּי אֶלְעָזָר בֶּן עֲזַרְיָה's wife was concerned that if he was to lose the job at a later point, the shame would be even greater than the honor of getting the job in the first place. From רַבִּי אֶלְעָזָר בֶּן עֲזַרְיָה's answer, we will see that the כָּבוֹד of being נָשִׂיא is not what he was interested in. Rather, his motivation to become נָשִׂיא was in order to teach תּוֹרָה. He therefore did not care if the opportunity would only be temporary; it would still be better than not having the chance at all.

He said to her	**אָמַר לָהּ**
Let a man use	**[לִשְׁתַּמֵּשׁ אִינִשׁ**
one day	**יוֹמָא חֲדָא**
with a crystal cup	**בְּכָסָא דְּמוֹקְרָא**
and the next day it will break.	**וּלְמָחָר לִיתְּבַר**

רַבִּי אֶלְעָזָר בֶּן עֲזַרְיָה gave a מָשָׁל. If a person has a fancy crystal cup and he locks it away because he is afraid it might break, he will certainly never get any enjoyment from it. However, if he uses it at a special occasion, even if it breaks after that one use, he at least got some enjoyment from it. Similarly, if רַבִּי אֶלְעָזָר בֶּן עֲזַרְיָה refuses the position, he will not get to teach תּוֹרָה in that capacity at all. If, on the other hand, he accepts the position, he will have this special chance for at least a short while.

רַבִּי אֶלְעָזָר בֶּן עֲזַרְיָה's wife still had one more concern. In order to be effective as the נָשִׂיא, he had to have the respect of the common people as well as the חֲכָמִים. Although the חֲכָמִים were only concerned with important things, such as how much תּוֹרָה he knew, the common people were more superficial and cared about things like how old he looked.

She said ____________	אָמְרָה לֵיהּ
You don't have any white hair.	לֵית לָךְ חִיוָּרְתָּא
That day	הַהוּא יוֹמָא
he was _________teen years old.	בַּר תַּמְנֵי סְרֵי שְׁנֵי הֲוָה
A miracle happened ________	אִתְרַחִישׁ לֵיהּ נִיסָּא
and [his dark hair] changed _____________	וְאַהְדְרוּ לֵיהּ
[into] ________teen rows	תַּמְנֵי סְרֵי דָּרֵי
of white hair.	חִיוָּרְתָּא

In the last מִשְׁנָה of the first פֶּרֶק of this מַסֶּכְתָּא, there is a very strange statement made by רַבִּי אֶלְעָזָר בֶּן עֲזַרְיָה. However, after learning this part of the story, we now understand what he meant.

This is what רַבִּי אֶלְעָזָר בֶּן עֲזַרְיָה [meant when he] said	הַיְינוּ דְּקָאָמַר ר׳ אֶלְעָזָר בֶּן עֲזַרְיָה
"Behold I am	הֲרֵי אֲנִי
LIKE seventy years old" –	כְּבֶן שִׁבְעִים שָׁנָה
but he wasn't [really] seventy years old.	וְלֹא בֶּן שִׁבְעִים שָׁנָה

We now understand that although he wasn't really seventy years old (he was only eighteen), he looked like he was seventy because of his white hair.

Now that all of his wife's concerns have been alleviated, רַבִּי אֶלְעָזָר בֶּן עֲזַרְיָה accepted the position of נָשִׂיא.

PUT IT ALL TOGETHER:

1. Read, translate and explain the following גְּמָרָא.

אָתוּ וְאָמְרוּ לֵיהּ נִיחָא לֵיהּ לְמַר
לֶיהֱוֵי רֵישׁ מְתִיבְתָּא אָמַר לְהוּ אֵיזִיל וְאִימְלִיךְ בְּאִינְשֵׁי בֵּיתִי אָזַל וְאִמְלִיךְ בִּדְבֵיתְהוּ אָמְרָה לֵיהּ

דִּלְמָא מְעַבְרִין לָךְ אָמַר לָהּ [לִשְׁתַּמֵּשׁ אִינְשׁ]
יוֹמָא חָדָא בְּכָסָא דְּמוֹקְרָא וּלְמָחָר לִיתְּבַר
אָמְרָה לֵיהּ לֵית לָךְ חִיוָּרְתָּא הַהוּא יוֹמָא בַּר
תַּמְנֵי סְרֵי שְׁנֵי הֲוָה אִתְרַחֵישׁ לֵיהּ נִיסָּא
וְאַהְדְּרוּ לֵיהּ תַּמְנֵי סְרֵי דָּרֵי חִיוָּרְתָּא הַיְינוּ
דְּקָאָמַר ר׳ אֶלְעָזָר בֶּן עֲזַרְיָה *הֲרֵי אֲנִי כְּבֶן
שִׁבְעִים שָׁנָה וְלֹא בֶּן שִׁבְעִים שָׁנָה

2. Who was being offered the position of נָשִׂיא?

____

3. With whom did he consult? ________________

4. What was the first concern that this person had? ____

____

____

5. What was his response to that concern? ____________________________

____

6. What do we learn about him from the fact that he was not concerned about this? ______

____

____

7. What other concern did that person have? ____________________________

8. What did ה׳ do to remove that concern? ____________________

____

9. How old was he really at this time? ____________________

How old did he appear? ____________________________

VOCABULARY REVIEW:

סָלַק ____________________

תַּמְנֵי ____________________

הֲוָה ____________________

פְּלִיג ____________________

הוֹאִיל ____________________

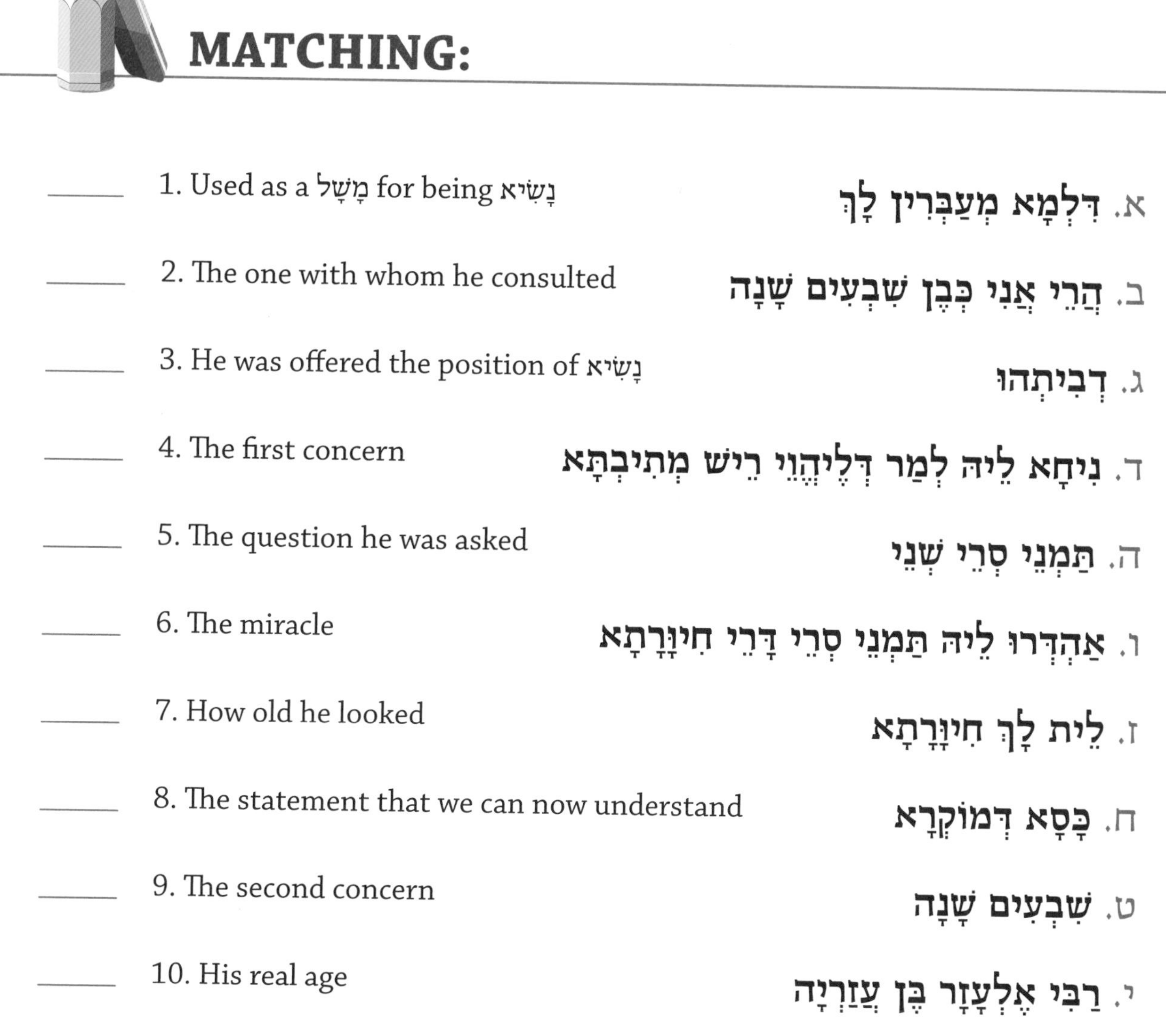

MATCHING:

____	1. Used as a מָשָׁל for being נָשִׂיא	א. דִּלְמָא מְעַבְּרִין לָךְ
____	2. The one with whom he consulted	ב. הֲרֵי אֲנִי כְּבֶן שִׁבְעִים שָׁנָה
____	3. He was offered the position of נָשִׂיא	ג. דְּבֵיתְהוּ
____	4. The first concern	ד. נִיחָא לֵיהּ לְמַר דְּלֶיהֱוֵי רֵישׁ מְתִיבְתָּא
____	5. The question he was asked	ה. תַּמְנֵי סְרֵי שְׁנֵי
____	6. The miracle	ו. אַהַדְרוּ לֵיהּ תַּמְנֵי סְרֵי דָּרֵי חִיוָּרְתָּא
____	7. How old he looked	ז. לֵית לָךְ חִיוָּרְתָּא
____	8. The statement that we can now understand	ח. כָּסָא דְּמוֹקְרָא
____	9. The second concern	ט. שִׁבְעִים שָׁנָה
____	10. His real age	י. רַבִּי אֶלְעָזָר בֶּן עֲזַרְיָה

שיעור מא

.כח lines 7-18

VOCABULARY WORDS

95. מָצִי

96. כְּבָר

The story continues:

Now that רַבִּי אֶלְעָזָר בֶּן עֲזַרְיָה had become נָשִׂיא, he began to make changes in the policies of the יְשִׁיבָה. The first noticeable difference was regarding who was allowed into the בֵּית הַמִּדְרָשׁ.

It was taught,	תָּנָא
That day	**אותוֹ הַיּוֹם**
they removed the watchman of the door	**סִלְקוּהוּ לְשׁוֹמֵר הַפֶּתַח**
and permission was given to the תַּלְמִידִים (students)	**וְנִתְּנָה לָהֶם רְשׁוּת לַתַּלְמִידִים**
to enter [the בֵּית הַמִּדְרָשׁ].	**לִיכָּנֵס**

The watchman was at the door to make sure that only those who were accepted into the יְשִׁיבָה would come in. However, now that everyone was given permission to enter, he was no longer needed.

We will now explain why the תַּלְמִידִים required permission to enter the בֵּית הַמִּדְרָשׁ:

Because [until then] רַבָּן גַּמְלִיאֵל would announce and say	**שֶׁהָיָה ר"ג מַכְרִיז וְאוֹמֵר**
"Any תַּלְמִיד whose inside (the way he really thinks and feels) is not like his outside (the way he acts when other people are watching)	**כָּל תַּלְמִיד שֶׁאֵין תּוֹכוֹ כְּבָרוֹ**
may not enter the בֵּית הַמִּדְרָשׁ."	**לֹא יִכָּנֵס לְבֵית הַמִּדְרָשׁ**

רַבָּן גַּמְלִיאֵל felt that the יְשִׁיבָה had to be a place of pure קְדוּשָׁה. If a person was only interested in תּוֹרָה "on the outside" but "on the inside" he wasn't really so good, he had no place in the בֵּית הַמִּדְרָשׁ. On the other hand, רַבִּי אֶלְעָזָר בֶּן עֲזַרְיָה believed that learning תּוֹרָה can change a person and make him good on the inside as well, so he admitted into the בֵּית הַמִּדְרָשׁ anyone who wanted to learn.

We will now see that a tremendous number of people took advantage of this new opportunity.

That day	הַהוּא יוֹמָא
they added many benches (because of all the new תַּלְמִידִים who could now come in).	אִתּוֹסְפוּ כַּמָּה סַפְסְלֵי

תפלת השחר

פרק רביעי

ברכות

רַבִּי יוֹחָנָן said	א"ר יוֹחָנָן
They ____________ about it	פְּלִיגֵי בָּהּ
אַבָּא יוֹסֵף בֶּן דּוֹסְתָּאי and the רַבָּנָן	אַבָּא יוֹסֵף בֶּן דּוֹסְתָּאי וְרַבָּנָן
___________ said	חַד אָמַר
they added four hundred benches	אִתּוֹסְפוּ אַרְבַּע מְאָה סַפְסְלֵי
and __________ said	וְחַד אָמַר
seven hundred benches.	שְׁבַע מְאָה סַפְסְלֵי

We can only imagine how רַבָּן גַּמְלִיאֵל felt when he saw these hundreds of people come to learn. He immediately realized just how many people he was keeping away from learning:

רַבָּן גַּמְלִיאֵל felt bad.	**הֲוָה קָא חָלְשָׁא דַּעְתֵּיהּ דר"ג**
He said	**אָמַר**
____________ **חַס וְשָׁלוֹם**	**דִּלְמָא ח"ו**
I held back תּוֹרָה from כְּלַל יִשְׂרָאֵל!	**מָנַעְתִּי תּוֹרָה מִיִּשְׂרָאֵל**

When רַבָּן גַּמְלִיאֵל was first removed from his position, we were not told that he felt bad. The loss of כָּבוֹד and power did not bother him. What he could not bear was the thought that he had been the cause of people not learning תּוֹרָה!

רַבָּן גַּמְלִיאֵל was so distraught that he could not continue. ה׳ had רַחֲמָנוּת (mercy) on him and showed him a dream that made him feel somewhat better.

They showed __________ in his dream	**אַחֲזוּ לֵיהּ בְּחֶלְמֵיהּ**
white pitchers	**חַצְבֵי חִיוָּרֵי**
_________ **were filled with ashes.**	**דְּמַלְיָין קִטְמָא**

This dream is a מָשָׁל. The message being given to רַבָּן גַּמְלִיאֵל is that just as these pitchers look white and pure on the outside, yet their insides are black, so too, these new תַּלְמִידִים who came to the בֵּית הַמִּדְרָשׁ were "black" on the inside and not really worthy of learning תּוֹרָה.

And it was not so.	**וְלֹא הִיא**
That [dream]	**הַהִיא**
[in order] to make him feel better	**לְיַתּוּבֵי דַּעְתֵּיהּ**
is [the reason] _______ they showed it _________.	**הוּא דְּאַחֲזוּ לֵיהּ**

In truth, רַבָּן גַּמְלִיאֵל had been wrong; he should have allowed the תַּלְמִידִים to come in to learn. However, the pain he felt from thinking he prevented לִימּוּד הַתּוֹרָה was so great that he would not have been able to continue. Therefore, ה׳ showed him a dream that he could interpret in a way that would ease some of that pain.

שיעור מא Review

PUT IT ALL TOGETHER:

1. Read, translate and explain the following גְּמָרָא.

תָּנָא
אוֹתוֹ הַיּוֹם סִלְּקוּהוּ לְשׁוֹמֵר הַפֶּתַח וְנִתְּנָה
לָהֶם רְשׁוּת לַתַּלְמִידִים לִיכָּנֵס שֶׁהָיָה ר"ג
מַכְרִיז וְאוֹמֵר *כָּל תַּלְמִיד שֶׁאֵין תּוֹכוֹ כְּבָרוֹ
לֹא יִכָּנֵס לְבֵית הַמִּדְרָשׁ הַהוּא יוֹמָא אִתּוֹסְפוּ
כַּמָּה סַפְסְלֵי א"ר יוֹחָנָן פְּלִיגֵי בָּהּ אַבָּא יוֹסֵף
בֶּן דּוֹסְתָּאִי וְרַבָּנָן חַד אָמַר אִתּוֹסְפוּ אַרְבַּע
מְאָה סַפְסְלֵי וְחַד אָמַר שְׁבַע מְאָה סַפְסְלֵי
הֲוָה קָא חָלְשָׁא דַּעְתֵּיהּ דְּר"ג אָמַר דִּלְמָא
ח"ו מָנַעְתִּי תּוֹרָה מִיִּשְׂרָאֵל אַחֲזוּ לֵיהּ בְּחֶלְמֵיהּ
חַצְבֵי חִיוָּרֵי דְּמַלְיָין קִטְמָא וְלֹא הִיא הַהִיא
לְיַתּוּבֵי דַּעְתֵּיהּ הוּא דְּאַחֲזוּ לֵיהּ

2. What rule did רַבָּן גַּמְלִיאֵל have? ______________

____

____

3. How did רַבִּי אֶלְעָזָר בֶּן עֲזַרְיָה change this? ______________________________

____

____

4. What had to be added in the בֵּית הַמִּדְרָשׁ and how many of them? ______________

____

5. How did this make רַבָּן גַּמְלִיאֵל feel? ______________________________

____

6. What do we learn about רַבָּן גַּמְלִיאֵל from the fact that he felt this way? ______________

____

7. What dream did he have? ______________________________

____

8. What was the message of this dream? ______________________________

____

9. What was the truth of the matter? ______________________________

____

VOCABULARY REVIEW:

כְּבַר ____________________

פְּלִיג ____________________

מָצֵי ____________________

מַאן ____________________

אֲנָא ____________________

MATCHING:

____	1. He had a misleading dream	א. קָא חָלְשָׁא דַּעְתֵּיהּ
____	2. The number of new benches	ב. חַצְבֵי חִיוָּרֵי
____	3. How רַבָּן גַּמְלִיאֵל felt when he saw all the new תַּלְמִידִים	ג. תּוֹכוֹ כְּבָרוֹ
____	4. רַבָּן גַּמְלִיאֵל's greatest fear	ד. רַבָּן גַּמְלִיאֵל
____	5. A מָשָׁל for the way some תַּלְמִידִים were interested in תּוֹרָה "on the outside"	ה. שׁוֹמֵר הַפֶּתַח
____	6. Why he had the dream	ו. אַרְבַּע מְאָה אוֹ שְׁבַע מְאָה
____	7. He was fired and not replaced	ז. מָנַעְתִּי תּוֹרָה מִיִּשְׂרָאֵל
____	8. A מָשָׁל for the way some תַּלְמִידִים were not so good "on the inside"	ח. רַבִּי אֶלְעָזָר בֶּן עֲזַרְיָה
____	9. רַבָּן גַּמְלִיאֵל only admitted a תַּלְמִיד if he was _____	ט. דְּמַלְיָין קִטְמָא
____	10. He believed that learning תּוֹרָה will make someone become good even on the inside	י. לְיַתּוּבֵי דַּעְתֵּיהּ

The story continues:

In the last שִׁיעוּר we learned that hundreds of new תַּלְמִידִים came to the בֵּית הַמִּדְרָשׁ. When such a thing happens, there will be incredible סִיַּעְתָּא דִשְׁמַיָּא for great accomplishments in learning, as we are about to see:

It was taught,	תָּנָא
מַסֶּכֶת עֵדֻיּוֹת	**עֵדֻיּוֹת**
was taught on that day.	**בּוֹ בַּיּוֹם נִשְׁנֵית**

As we saw earlier (in שִׁיעוּר י"ט), מַסֶּכֶת עֵדֻיּוֹת was referred to as "the chosen מִשְׁנָיוֹת." This is because the הֲלָכָה follows everything taught in that מַסֶּכְתָּא. The גְמָרָא is teaching us that the incredible level of learning which produced this מַסֶּכְתָּא was brought about by the added הַתְמָדָה of these additional תַּלְמִידִים.

We will now see that this day was so amazing that it was referred to in a special way:

And any___________	וְכָל הֵיכָא
___________ we say	דְּאַמְרִינַן
"on that day"	בּוֹ בַּיּוֹם
___________ that day.	הַהוּא יוֹמָא הֲוָה

This day was so amazing that the תַּנָּאִים just referred to it as "on that day," and it was clear to all which day was meant.

An additional detail of the greatness of that day:

And there was no הֲלָכָה	וְלֹא הָיְתָה הֲלָכָה
that was hanging (unknown) in the בֵּית הַמִּדְרָשׁ	שֶׁהָיְתָה תְּלוּיָה בְּבֵית הַמִּדְרָשׁ
that they did not explain it.	שֶׁלֹּא פֵּירְשׁוּהָ

As the story continues, we see the greatness of רַבָּן גַּמְלִיאֵל. One would understand if after being removed from his position, רַבָּן גַּמְלִיאֵל would decide to take leave from the יְשִׁיבָה for a while. The shame and insult would have been so great. However, as we are about to see, רַבָּן גַּמְלִיאֵל's commitment and love for תּוֹרָה was so deep that he did not go away, even though he may have had these very strong negative feelings. As soon as he was removed from being נָשִׂיא, he simply found another seat in the בֵּית הַמִּדְרָשׁ and continued learning!

And even רַבָּן גַּמְלִיאֵל	וְאַף ר"ג
did not hold himself back from the בֵּית הַמִּדְרָשׁ	לֹא מָנַע עַצְמוֹ מִבֵּית הַמִּדְרָשׁ
even one moment.	אֲפִילוּ שָׁעָה אַחַת

We will now prove that רַבָּן גַּמְלִיאֵל was in the בֵּית הַמִּדְרָשׁ, by quoting a מִשְׁנָה that tells a story involving רַבָּן גַּמְלִיאֵל that happened "בּוֹ בַּיּוֹם":

________ ______________________________	דְּתְנַן
On that day	**בּוֹ בַּיּוֹם**
יְהוּדָה, a גֵּר from עַמּוֹן, came before them	**בָּא יְהוּדָה גֵּר עַמּוֹנִי לִפְנֵיהֶם**
in the בֵּית הַמִּדְרָשׁ	**בְּבֵית הַמִּדְרָשׁ**
[and] he said to them	**אָמַר לָהֶם**
What [is the הֲלָכָה regarding whether] I can marry into כְּלַל יִשְׂרָאֵל [or not]?	**מָה אֲנִי לָבֹא בַּקָּהָל**
רַבָּן גַּמְלִיאֵל said to him (to the גֵּר)	**א"ל (אָמַר לוֹ) ר"ג**
It is forbidden for you to marry into כְּלַל יִשְׂרָאֵל.	**אָסוּר אַתָּה לָבֹא בַּקָּהָל**
רַבִּי יְהוֹשֻׁעַ said to him (to the גֵּר)	**א"ל (אָמַר לוֹ) ר' יְהוֹשֻׁעַ**
It is permitted for you to marry into כְּלַל יִשְׂרָאֵל.	**מוּתָּר אַתָּה לָבֹא בַּקָּהָל**

This גֵּר from עַמּוֹן had a simple question: "Can I marry a Jewish woman?" From the fact that רַבָּן גַּמְלִיאֵל had an answer for him, we see that he was present.

Now that we began discussing the case of יְהוּדָה גֵּר עַמּוֹנִי, the גְּמָרָא will quote the rest of the מִשְׁנָה and a long discussion between רַבָּן גַּמְלִיאֵל and רַבִּי יְהוֹשֻׁעַ. First, רַבָּן גַּמְלִיאֵל will explain the simple reason why he paskened that יְהוּדָה could not marry a Jewish woman:

רַבָּן גַּמְלִיאֵל said to him (to רַבִּי יְהוֹשֻׁעַ)	**א"ל (אָמַר לוֹ) ר"ג**
But doesn't it __________ say [in the פָּסוּק]	**וַהֲלֹא כְּבָר נֶאֱמַר**
"An עַמּוֹנִי or מוֹאָבִי may not marry into the congregation of 'ה"!?	**לֹא יָבֹא עַמּוֹנִי וּמוֹאָבִי בִּקְהַל ה'**

The פָּסוּק seems to say clearly that a גֵּר from עַמּוֹן may not marry a Jewish woman. רַבִּי יְהוֹשֻׁעַ will now have to explain why he paskened that יְהוּדָה could marry a Jewish woman.

רַבִּי יְהוֹשֻׁעַ said to him (to רַבָּן גַּמְלִיאֵל)	א"ל (אָמַר לוֹ) ר' יְהוֹשֻׁעַ
And are עַמּוֹן and מוֹאָב living in their [original] places?	וְכִי עַמּוֹן וּמוֹאָב בִּמְקוֹמָן הֵן יוֹשְׁבִין
סַנְחֵרִיב, King of אַשּׁוּר ______________ went up	כְּבָר עָלָה סַנְחֵרִיב[1] מֶלֶךְ אַשּׁוּר
and mixed up all of the nations	וּבִלְבֵּל אֶת כָּל הָאוּמּוֹת
as it says [in the פָּסוּק]	שֶׁנֶּאֱמַר
[סַנְחֵרִיב says:] "And I will remove the boundaries of nations,	וְאָסִיר גְּבוּלוֹת עַמִּים
and I have robbed their treasures,	וַעֲתוּדוֹתֵיהֶם[2] שׁוֹסֵתִי
and I will take down their mighty number of inhabitants,"	וְאוֹרִיד כַּאבִּיר יוֹשְׁבִים
and [we have a rule that] anything that has separated	וְכָל דְּפָרִישׁ
[we assume that] it has separated from the majority.	מֵרוּבָּא פָּרִישׁ

רַבִּי יְהוֹשֻׁעַ explains that once סַנְחֵרִיב mixed up all of the nations, we no longer know the true origins of any גּוֹי. Therefore, every גּוֹי (even one from עַמּוֹן or מוֹאָב) is considered to be a סָפֵק (in doubt) if they are an עַמּוֹנִי or מוֹאָבִי. One of the rules for dealing with a סָפֵק is: "כָּל דְּפָרִישׁ מֵרוּבָּא פָּרִישׁ". This means that if something is separated from its source, we can assume that it came from the majority. (For a detailed explanation of this rule, please see the appendix on page 152.) Since the majority of גּוֹיִם are not עַמּוֹנִים or מוֹאָבִים, all גּוֹיִם are assumed to not be עַמּוֹנִים or מוֹאָבִים and may marry Jewish women if they become גֵּרִים.

However, רַבָּן גַּמְלִיאֵל is not finished arguing:

רַבָּן גַּמְלִיאֵל said to him (to רַבִּי יְהוֹשֻׁעַ)	אָמַר לוֹ ר"ג
But doesn't it _________ say [in the פָּסוּק]	וַהֲלֹא כְּבָר נֶאֱמַר
"And after that	וְאַחֲרֵי כֵן

[1]סַנְחֵרִיב was the king of a country called אַשּׁוּר (Assyria). He ruled over a very powerful empire during the end of the time of the first בֵּית הַמִּקְדָּשׁ. His method of conquering nations was to move each group of people to a land that was far away from their original land. In this way, they would forget about their original nation and feel loyalty only to אַשּׁוּר. The גְּמָרָא describes this as "mixing up all of the nations." (If you would like to know more about סַנְחֵרִיב, you can learn סֵפֶר מְלָכִים ב פְּרָקִים יח־יט.)

[2]The גְּמָרָא uses the word וַעֲתִידוֹתֵיהֶם which is the כְּתִיב (written version) of the פָּסוּק. In our translation, we have used וַעֲתוּדוֹתֵיהֶם which is the קְרִי (the way the פָּסוּק is read).

I will return the dwelling of the people of עַמּוֹן,	אָשִׁיב אֶת שְׁבוּת בְּנֵי עַמּוֹן
says ה׳."	נְאֻם ה׳
[So it must be that] they have ______ returned!	וּכְבָר שָׁבוּ

There is a נְבוּאָה that the people of עַמּוֹן will be returned to their land. Certainly, ה׳'s words have come true. Therefore, we should assume that those people who come from the land of עַמּוֹן are true עַמּוֹנִים and should not be allowed to marry Jewish women (even if they are גֵּרִים)!

רַבִּי יְהוֹשֻׁעַ said to him (to רַבָּן גַּמְלִיאֵל)	אָמַר לוֹ ר׳ יְהוֹשֻׁעַ
But doesn't it ________ say [in the פָּסוּק]	וַהֲלֹא כְּבָר נֶאֱמַר
[ה׳ says:] "I will return the dwelling of My nation יִשְׂרָאֵל,"	וְשַׁבְתִּי אֶת שְׁבוּת עַמִּי יִשְׂרָאֵל
[but we know that] they have not yet returned!	וַעֲדַיִין לֹא שָׁבוּ

We see that just because ה׳ promises something, it does not mean that it already happened. Therefore, we don't know if the people of עַמּוֹן have been returned to their land yet, so a סָפֵק remains as to whether they are true עַמּוֹנִים. As a result of this סָפֵק and the rule discussed earlier (כָּל דְּפָרִישׁ מֵרוּבָּא פָּרִישׁ), they should be allowed to marry Jewish women.

רַבִּי יְהוֹשֻׁעַ won the argument!

Immediately,	מִיָּד
they permitted him to marry into the congregation.	הִתִּירוּהוּ לָבֹא בַּקָּהָל

PUT IT ALL TOGETHER:

שיעור מב Review

1. Read, translate and explain the following גְּמָרָא.

תָּנָא עֵדֻיּוֹת

כּוֹ בַּיּוֹם נִשְׁנֵית וְכָל הֵיכָא דְּאַמְרִינַן כּוֹ בַּיּוֹם
הַהוּא יוֹמָא הֲוָה וְלֹא הָיְתָה הֲלָכָה שֶׁהָיְתָה
תְּלוּיָה בְּבֵית הַמִּדְרָשׁ שֶׁלֹּא פֵּירְשׁוּהָ וְאַף ר"ג
לֹא מָנַע עַצְמוֹ מִבֵּית הַמִּדְרָשׁ אֲפִילוּ שָׁעָה אַחַת דִּתְנַן *בּוֹ בַּיּוֹם בָּא יְהוּדָה
גֵּר עַמּוֹנִי לִפְנֵיהֶם בְּבֵית הַמִּדְרָשׁ אָמַר לָהֶם (א) מָה אֲנִי לָבֹא בַּקָּהָל א"ל ר"ג
אָסוּר אַתָּה לָבֹא בַּקָּהָל א"ל ר' יְהוֹשֻׁעַ [ג]מוּתָּר אַתָּה לָבֹא בַּקָּהָל א"ל ר"ג
וַהֲלֹא כְּבָר נֶאֱמַר °לֹא יָבֹא עַמּוֹנִי וּמוֹאָבִי בִּקְהַל ה' א"ל ר' יְהוֹשֻׁעַ וְכִי
עַמּוֹן וּמוֹאָב בִּמְקוֹמָן הֵן יוֹשְׁבִין (ב) *כְּבָר עָלָה סַנְחֵרִיב מֶלֶךְ אַשּׁוּר וּבִלְבֵּל
אֶת כָּל הָאוּמּוֹת שֶׁנֶּאֱמַר °וְאָסִיר גְּבוּלוֹת עַמִּים וַעֲתִידוֹתֵיהֶם שׁוֹסֵתִי וְאוֹרִיד
כַּאבִּיר יוֹשְׁבִים *וְכָל דְּפָרֵישׁ מֵרוּבָּא פָּרֵישׁ אָמַר לוֹ ר"ג וַהֲלֹא כְּבָר נֶאֱמַר
°וְאַחֲרֵי כֵן אָשִׁיב אֶת שְׁבוּת בְּנֵי עַמּוֹן נְאֻם ה' וּכְבָר שָׁבוּ אָמַר לוֹ ר' יְהוֹשֻׁעַ
וַהֲלֹא כְּבָר נֶאֱמַר °וְשַׁבְתִּי אֶת שְׁבוּת עַמִּי יִשְׂרָאֵל וַעֲדַיִין לֹא שָׁבוּ מִיָּד הִתִּירוּהוּ
לָבֹא בַּקָּהָל

2. What made the learning on this day be so special? ______________________

____

3. What מַסֶּכְתָּא was taught on that day? ______________________

4. What term was used to refer to that day? ______________________

5. How was the greatness of רַבָּן גַּמְלִיאֵל shown that day? ______________________

____

6. What מַחֲלוֹקֶת did רַבִּי יְהוֹשֻׁעַ have with רַבָּן גַּמְלִיאֵל on that day? ______________________

____

7. What did רַבִּי יְהוֹשֻׁעַ hold? ______________________

What was his reason? ______________________

8. What did רַבָּן גַּמְלִיאֵל hold? ______________________

What was his reason? ______________________

9. Like whom did they pasken? ______________________

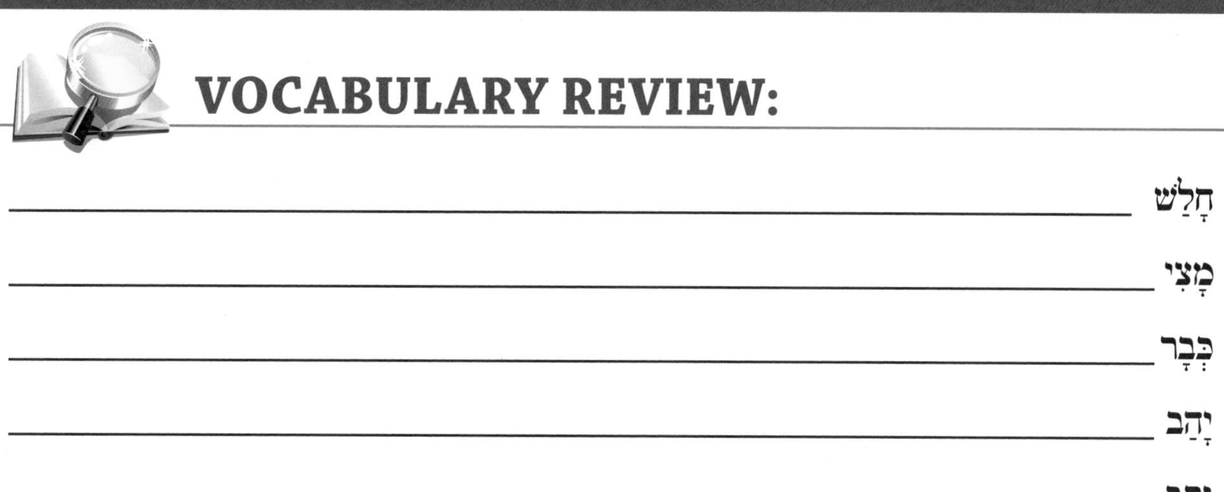

VOCABULARY REVIEW:

חָלַשׁ ______________________

מָצֵי ______________________

כְּבָר ______________________

יָהַב ______________________

יָתַב ______________________

MATCHING:

_____	1. The מַסֶּכְתָּא taught on this day	א. בּוֹ בַּיּוֹם
_____	2. They did not leave any unexplained _______	ב. מֵרוּבָּא פָּרִישׁ
_____	3. The term which refers to the day of our story	ג. רַבִּי אֶלְעָזָר בֶּן עֲזַרְיָה
_____	4. He wanted to marry a Jewish woman	ד. רַבִּי יְהוֹשֻׁעַ
_____	5. We see his greatness because he stayed in the בֵּית הַמִּדְרָשׁ	ה. עֵדֻיּוֹת
		ו. יְהוּדָה גֵּר עַמּוֹנִי
_____	6. This is the day that ________ became נָשִׂיא	
		ז. תַּלְמִידִים
_____	7. He mixed up all of the nations	
		ח. הֲלָכָה
_____	8. When something is separated, we assume that ________	ט. רַבָּן גַּמְלִיאֵל
_____	9. He won the argument	י. סַנְחֵרִיב
_____	10. The high level of תּוֹרָה that was achieved was in the זְכוּת of the extra ________	

שיעור מג

כח. lines 31-41

VOCABULARY WORDS

99. דוּכְתָּא

100. תְּרֵי

The story continues:

As long as רַבָּן גַּמְלִיאֵל was the נָשִׂיא, he felt that he had to be strict with רַבִּי יְהוֹשֻׁעַ. Now that he no longer had this position, there was no reason to let hard feelings remain. Therefore, רַבָּן גַּמְלִיאֵל will now attempt to make peace:

רַבָּן גַּמְלִיאֵל said	אר״ג (אָמַר רַבָּן גַּמְלִיאֵל)
___________ ___________ ___________	הוֹאִיל וְהָכִי הֲוָה
I will go and appease רַבִּי יְהוֹשֻׁעַ.	אֵיזִיל וַאֲפַיְּיסֵיהּ לר׳ יְהוֹשֻׁעַ
When he reached his house	כִּי מְטָא לְבֵיתֵיהּ
he __________ the walls of his house	חֲזִינְהוּ לְאַשִׁיתָא דְּבֵיתֵיהּ
______ they were black.	דְּמַשְׁחֲרָן
He said to him (רַבִּי יְהוֹשֻׁעַ to רַבָּן גַּמְלִיאֵל)	א״ל
From the walls of your house	מִכּוֹתְלֵי בֵּיתְךָ
you are recognizable	אַתָּה נִיכָּר
that you work with coal.	שֶׁפֶּחָמִי אַתָּה

רַבִּי יְהוֹשֻׁעַ was still very upset with רַבָּן גַּמְלִיאֵל, and is going to give him מוּסָר for not being more involved in the struggles of the other חֲכָמִים:

He said to him (רַבִּי יְהוֹשֻׁעַ to רַבָּן גַּמְלִיאֵל)	א״ל
Woe to the generation	אוֹי לוֹ לַדּוֹר
that you are its leader,	שֶׁאַתָּה פַּרְנָסוֹ
because you don't know	שֶׁאִי אַתָּה יוֹדֵעַ
the pain of the תַּלְמִידֵי חֲכָמִים,	בְּצַעֲרָן שֶׁל ת״ח
with what they support themselves	בַּמָּה הֵם מִתְפַּרְנְסִים
and with what they sustain themselves.	וּבַמָּה הֵם נִזּוֹנִים

רַבָּן גַּמְלִיאֵל will now get to the point of his visit:

He said to him (רַבָּן גַּמְלִיאֵל to רַבִּי יְהוֹשֻׁעַ)	אָמַר לוֹ
I have pained you.	נַעֲנֵיתִי לָךְ
Forgive me.	מְחוֹל לִי
[רַבִּי יְהוֹשֻׁעַ] paid no attention to him.	לֹא אַשְׁגַּח בֵּיהּ

תפלת השחר

פרק רביעי

ברכות

רַבִּי יְהוֹשֻׁעַ was so hurt that he was not yet ready to forgive. רַבָּן גַּמְלִיאֵל will have to try a different approach:

[רַבָּן גַּמְלִיאֵל said,] Do it for my father's honor.	עֲשֵׂה בִּשְׁבִיל כְּבוֹד אַבָּא
[רַבִּי יְהוֹשֻׁעַ] was appeased.	פַּיֵּיס

The mere mention of רַבָּן גַּמְלִיאֵל's great father (רַבָּן שִׁמְעוֹן בֶּן גַּמְלִיאֵל), who had dedicated his life to ה׳ and כְּלַל יִשְׂרָאֵל, caused רַבִּי יְהוֹשֻׁעַ to lose all anger he had for רַבָּן גַּמְלִיאֵל.

Now that רַבִּי יְהוֹשֻׁעַ has forgiven רַבָּן גַּמְלִיאֵל, he and those who were with him decided to let the חֲכָמִים know about it. This way, the חֲכָמִים could decide whether or not to reinstate רַבָּן גַּמְלִיאֵל as נָשִׂיא.

They said	אָמְרוּ
___________ will go	מַאן נֵיזִיל
and say to the רַבָּנָן [that רַבִּי יְהוֹשֻׁעַ has forgiven רַבָּן גַּמְלִיאֵל]?	וְלֵימָא לְהוּ לְרַבָּנָן
That launderer [who was there] said ___________________	אָמַר לְהוּ הַהוּא כּוֹבֵס
____________ will _______________.	אֲנָא אָזִילְנָא

רַבִּי יְהוֹשֻׁעַ will send his message disguised in a מָשָׁל (parable). See if you can figure out what he really means:

רַבִּי יְהוֹשֻׁעַ sent [the following message] to [the חֲכָמִים in] the בֵּית הַמִּדְרָשׁ:	שְׁלַח לְהוּ ר׳ יְהוֹשֻׁעַ לְבֵי מִדְרָשָׁא
The one who has [always] worn the cloak	מַאן דְּלָבִישׁ מַדָּא
should wear the cloak.	יִלְבַּשׁ מַדָּא
And the one who never wore the cloak	וּמַאן דְּלָא לָבִישׁ מַדָּא
should he say to the one who has [always] worn the cloak	יֵימַר לֵיהּ לְמַאן דְּלָבִישׁ מַדָּא
"Throw off your cloak	שְׁלַח מַדָּךְ
and __________ will wear it!?"	וַאֲנָא אֶלְבְּשֵׁיהּ

In this מָשָׁל, the cloak represents the position of נָשִׂיא. The message being sent is that just as someone who has worn a cloak for many years should not have it taken from him, so too, רַבָּן גַּמְלִיאֵל (who had been the נָשִׂיא for many years) should not lose his position to רַבִּי אֶלְעָזָר בֶּן עֲזַרְיָה.

However, there will be some difficulty in getting the message to the חֲכָמִים. רַבִּי עֲקִיבָא realized רַבָּן גַּמְלִיאֵל was pure and always acted לְשֵׁם שָׁמַיִם. He would surely not take revenge on the חֲכָמִים for removing him from his position. However, רַבָּן גַּמְלִיאֵל had many servants who might feel angry that their master was demoted. רַבִּי עֲקִיבָא was concerned that these people (who did not have the same מִדּוֹת as their lofty master) would cause trouble for the חֲכָמִים in the בֵּית הַמִּדְרָשׁ.

רַבִּי עֲקִיבָא said to the חֲכָמִים	אָמַר לְהוּ ר"ע לְרַבָּנָן
Lock the gates [of the בֵּית הַמִּדְרָשׁ]	טְרוֹקוּ גַּלֵּי
so that the servants of רַבָּן גַּמְלִיאֵל should not come	דְּלֹא לֵיתוּ עַבְדֵּי דְּר"ג
and pain the חֲכָמִים.	וּלְצַעֲרוּ לְרַבָּנָן

Being that רַבִּי עֲקִיבָא had locked the gates, the launderer was unable to deliver the message. Therefore, רַבִּי יְהוֹשֻׁעַ decided to deliver the message himself. However, he chose a different מָשָׁל than the one that he had sent with the launderer. This new מָשָׁל involves a person who would combine the ashes of the פָּרָה אֲדוּמָּה with water and sprinkle it on those who were טָמֵא מֵת:

פָּרָה אֲדוּמָּה

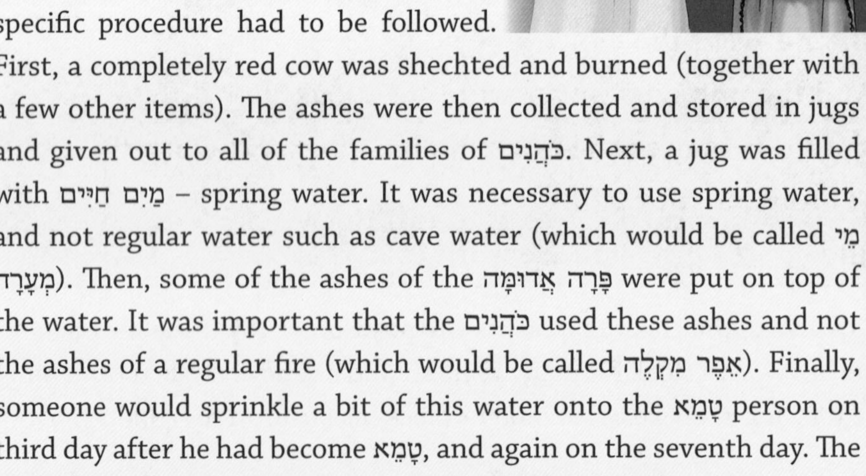

The תּוֹרָה teaches us that when someone touches the body of a dead person (or is even in the same building), he becomes טָמֵא. In order to become טָהוֹר, he needs to be sprinkled with water which contains the ashes of a פָּרָה אֲדוּמָּה.

In order to make this water, a very specific procedure had to be followed. First, a completely red cow was shechted and burned (together with a few other items). The ashes were then collected and stored in jugs and given out to all of the families of כֹּהֲנִים. Next, a jug was filled with מַיִם חַיִּים – spring water. It was necessary to use spring water, and not regular water such as cave water (which would be called מֵי מְעָרָה). Then, some of the ashes of the פָּרָה אֲדוּמָּה were put on top of the water. It was important that the כֹּהֲנִים used these ashes and not the ashes of a regular fire (which would be called אֵפֶר מִקְלֶה). Finally, someone would sprinkle a bit of this water onto the טָמֵא person on third day after he had become טָמֵא, and again on the seventh day. The person who sprinkled the water was known as the מַזֶּה.

If you would like to know more about the פָּרָה אֲדוּמָּה, you can learn the beginning of פַּרְשַׁת חֻקַּת as well as the מִשְׁנָיוֹת in מַסֶּכֶת פָּרָה.

 |

רַבִּי יְהוֹשֻׁעַ said	א"ר יְהוֹשֻׁעַ
It is better	מוּטָב
_______ I should get up	דְּאֵיקוּם
and _________ will go to them.	וְאֵיזִיל אֲנָא לְגַבַּיְיהוּ
He came	אֲתָא
[and] knocked on the door.	טְרַף אַבָּבָא
He said ___________ (רַבִּי יְהוֹשֻׁעַ to the חֲכָמִים)	א"ל (אָמַר לְהוּ)
One who sprinkled and is the son of someone who sprinkled [the פָּרָה אֲדוּמָּה water]	מַזֶּה בֶּן מַזֶּה
should sprinkle it.	יַזֶּה
And someone who was never the one who sprinkled	וְשֶׁאֵינוֹ לֹא מַזֶּה
and is not the son of the one who had sprinkled,	וְלֹא בֶּן מַזֶּה
should he say to the one who had sprinkled [who is] the son of one who had sprinkled	יֹאמַר לְמַזֶּה בֶּן מַזֶּה
Your waters are [regular] cave waters	מֵימֶיךָ מֵי מְעָרָה
and your ashes are the ashes of a [regular] burning!?	וְאֶפְרְךָ אֵפֶר מִקְלֶה

Once again, the מָשָׁל means that רַבָּן גַּמְלִיאֵל should remain as the נָשִׂיא. If a family had held the job of sprinkling the פָּרָה אֲדוּמָּה water for many generations, it would be wrong for a newcomer to come along, tell them that they were doing it wrong, and take the job.* So too, the נְשִׂיאוּת had been in רַבָּן גַּמְלִיאֵל's family for so many generations. It is therefore not appropriate for רַבִּי אֶלְעָזָר בֶּן עֲזַרְיָה to take over.

What remains to be seen is if the חֲכָמִים will listen and reinstate רַבָּן גַּמְלִיאֵל as נָשִׂיא. If they do, what will happen to רַבִּי אֶלְעָזָר בֶּן עֲזַרְיָה?

*Perhaps, the reason why it would be wrong for the newcomer to do this is because the experienced sprinkler most likely knows what he's doing. The newcomer, on the other hand, lacks much knowledge about the פָּרָה אֲדוּמָּה water.

PUT IT ALL TOGETHER:

1. Read, translate and explain the following גְּמָרָא.

אר"ג הוֹאִיל וְהָכֵי הֲוָה אֵיזִיל וַאֲפַיְּיסֵיהּ לְר' יְהוֹשֻׁעַ כִּי מְטָא לְבֵיתֵיהּ
חֲזִינְהוּ לְאַשִׁיתָא דְּבֵיתֵיהּ דִּמְשַׁחֲרָן א"ל °מִכּוֹתְלֵי בֵּיתְךָ אַתָּה נִיכָּר שֶׁפֶּחָמִי אַתָּה
א"ל אוֹי לוֹ לַדּוֹר שֶׁאַתָּה פַּרְנָסוֹ *שֶׁאִי אַתָּה יוֹדֵעַ בְּצַעֲרָן שֶׁל ת"ח גכַּמָּה הֵם
מִתְפַּרְנְסִים וּבַמָּה הֵם נִזּוֹנִים אָמַר לוֹ נַעֲנֵיתִי לָךְ מְחוֹל לִי לֹא אַשְׁגַּח בֵּיהּ עֲשֵׂה
בִּשְׁבִיל כְּבוֹד אַבָּא פַּיֵּים אָמְרוּ מַאן נֵיזִיל וְלֵימָא לְהוּ לְרַבָּנָן אָמַר לְהוּ הַהוּא
כּוֹבֵס אֲנָא אָזֵילְנָא שְׁלַח לְהוּ ר' יְהוֹשֻׁעַ לְבֵי מִדְרָשָׁא מַאן דְּלָבִישׁ מַדָּא יִלְבַּשׁ
מַדָּא וּמַאן דְּלָא לָבִישׁ מַדָּא יֵימַר לֵיהּ לְמַאן דְּלָבִישׁ מַדָּא שְׁלַח מַדָּךְ וַאֲנָא
אֶלְבְּשֵׁיהּ אָמַר לְהוּ ר"ע לְרַבָּנָן טְרוֹקוּ גַּלֵּי דְּלָא לֵיתוּ עַבְדֵי דְּר"ג וּלְצַעֲרוּ לְרַבָּנָן
א"ר יְהוֹשֻׁעַ מוּטָב דְּאֵיקוּם וְאֵיזִיל אֲנָא לְגַבַּיְיהוּ אֲתָא טָרַף אַבָּבָא א"ל ימַזֶּה בֶּן
מַזֶּה יַזֶּה וְשֶׁאֵינוֹ לֹא מַזֶּה וְלֹא בֶּן מַזֶּה יֹאמַר לְמַזֶּה בֶּן מַזֶּה מֵימֶיךָ מֵי מְעָרָה
וְאֶפְרְךָ אֵפֶר מִקְלֶה

2. Where did רַבָּן גַּמְלִיאֵל go? Why? ______________________________

____

3. What did he notice about the house? What did he figure out from this? ______________________________

____

4. What did רַבִּי יְהוֹשֻׁעַ comment about רַבָּן גַּמְלִיאֵל's observation? ______________________________

____

5. How did רַבִּי יְהוֹשֻׁעַ react when רַבָּן גַּמְלִיאֵל first asked for מְחִילָה? ______________________________

____

6. What did רַבָּן גַּמְלִיאֵל say that finally caused רַבִּי יְהוֹשֻׁעַ to forgive him? ______________________________

____

7. What message was sent to the בֵּית הַמִּדְרָשׁ? Who was the messenger? ______________________________

____

____

8. Why couldn't he deliver the message? ______________________________

____

9. Who delivered the message in the end? ______________________________

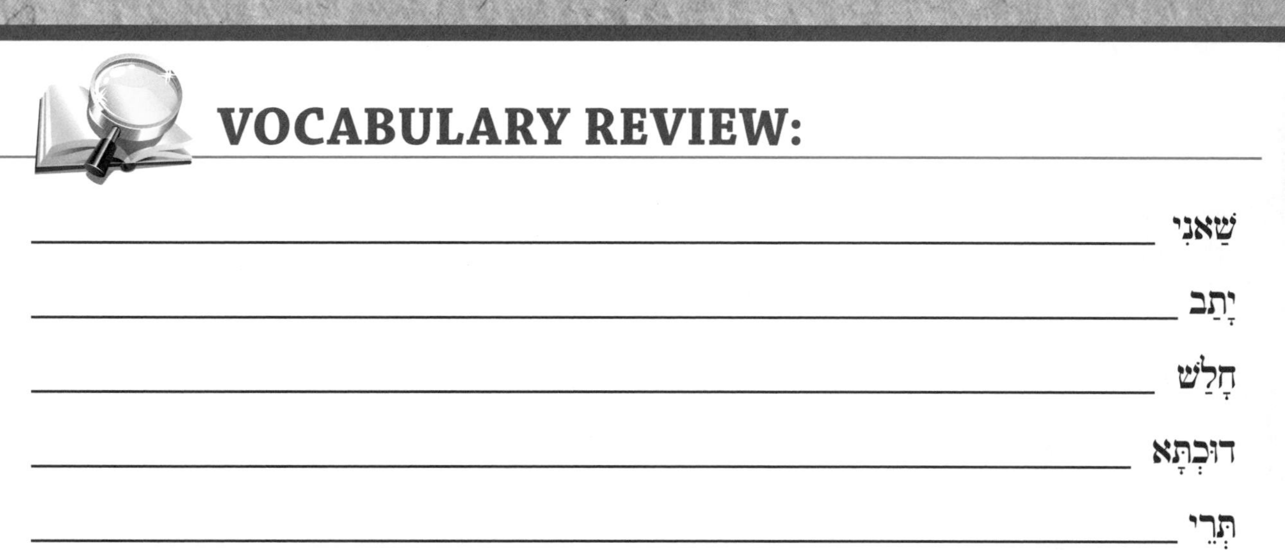

VOCABULARY REVIEW:

שַׁאנִי ______________________

יָתֵב ______________________

חֲלַשׁ ______________________

דוּכְתָּא ______________________

תְּרֵי ______________________

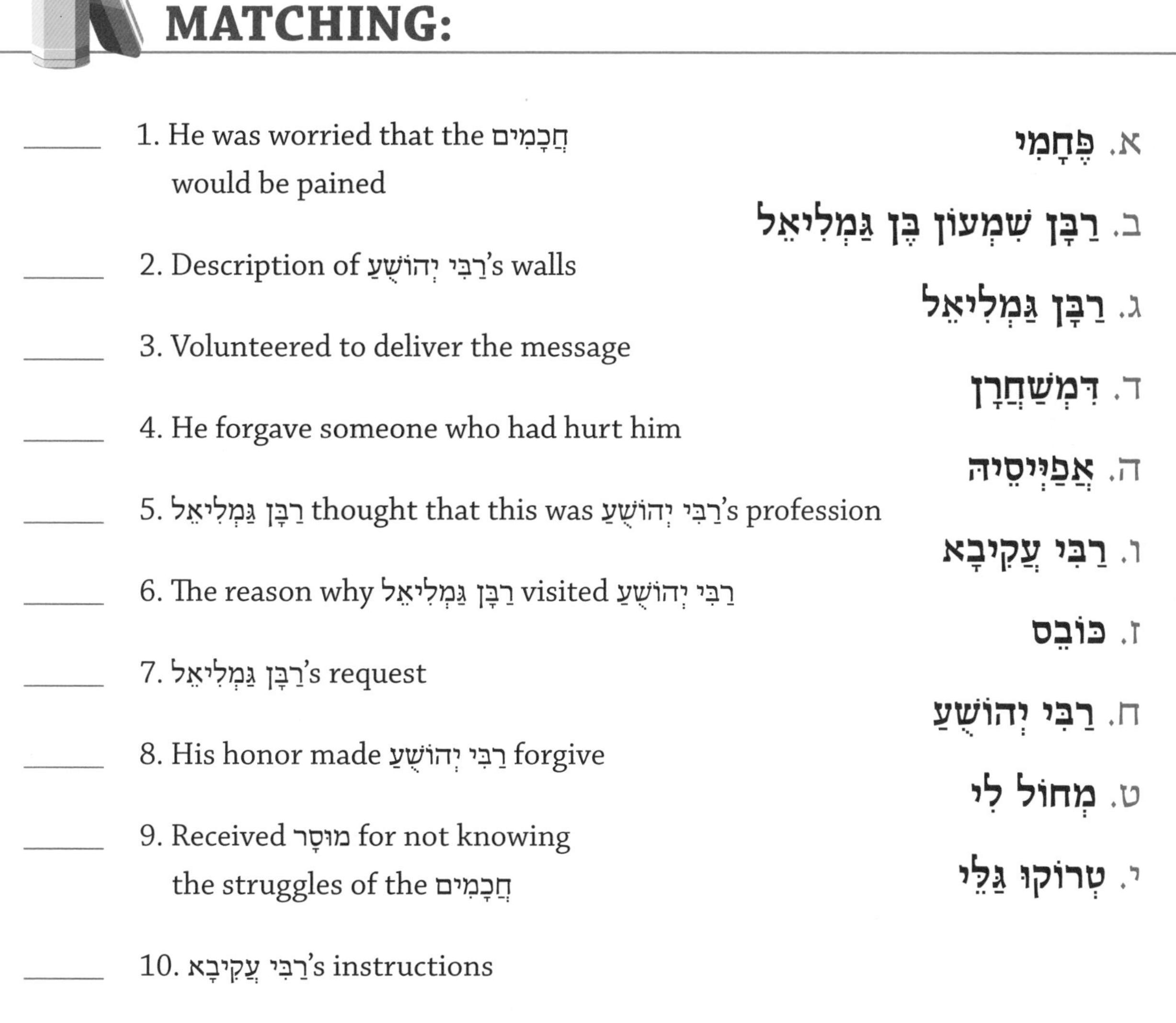

MATCHING:

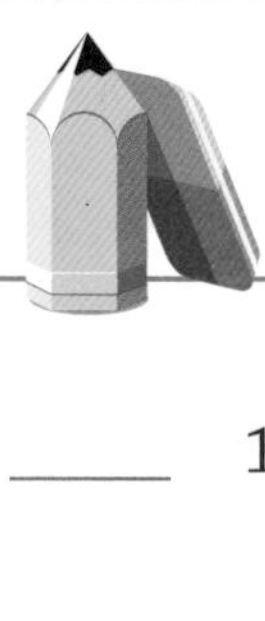

_____ 1. He was worried that the חֲכָמִים would be pained

_____ 2. Description of רַבִּי יְהוֹשֻׁעַ's walls

_____ 3. Volunteered to deliver the message

_____ 4. He forgave someone who had hurt him

_____ 5. רַבָּן גַּמְלִיאֵל thought that this was רַבִּי יְהוֹשֻׁעַ's profession

_____ 6. The reason why רַבָּן גַּמְלִיאֵל visited רַבִּי יְהוֹשֻׁעַ

_____ 7. רַבָּן גַּמְלִיאֵל's request

_____ 8. His honor made רַבִּי יְהוֹשֻׁעַ forgive

_____ 9. Received מוּסָר for not knowing the struggles of the חֲכָמִים

_____ 10. רַבִּי עֲקִיבָא's instructions

א. פֶּחָמִי

ב. רַבָּן שִׁמְעוֹן בֶּן גַּמְלִיאֵל

ג. רַבָּן גַּמְלִיאֵל

ד. דִּמְשַׁחֲרָן

ה. אֲפַּיְיסֵיהּ

ו. רַבִּי עֲקִיבָא

ז. כּוֹבֵס

ח. רַבִּי יְהוֹשֻׁעַ

ט. מְחוֹל לִי

י. טְרוֹקוּ גַּלֵּי

The story concludes:

The חֲכָמִים have been informed about רַבִּי יְהוֹשֻׁעַ's forgiveness and will make their decision as far as who will be the נָשִׂיא from this point forward:

רַבִּי עֲקִיבָא said ______________ (to רַבִּי יְהוֹשֻׁעַ)	א"ל ר"ע
רַבִּי יְהוֹשֻׁעַ, you have been appeased!?	רַבִּי יְהוֹשֻׁעַ נִתְפַּיַּיסְתָּ
Have we done this (removed רַבָּן גַּמְלִיאֵל) for any reason	כְּלוּם עָשִׂינוּ
besides for your honor!?	אֶלָּא בִּשְׁבִיל כְּבוֹדְךָ
Tomorrow,	לְמָחָר
you and I will go early to [רַבָּן גַּמְלִיאֵל]'s door [and offer to reinstate him].	אֲנִי וְאַתָּה נַשְׁכִּים לְפִתְחוֹ

רַבִּי עֲקִיבָא makes it clear that due to רַבִּי יְהוֹשֻׁעַ's forgiveness, רַבָּן גַּמְלִיאֵל can be reinstated as נָשִׂיא. What still needs to be decided is what will happen to רַבִּי אֶלְעָזָר בֶּן עֲזַרְיָה. Can he just be removed from his position even if he did nothing wrong?

They said,	אַמְרֵי
__________ should we do [it]?	הֵיכִי נַעֲבִיד
Should we remove him?	נַעַבְרֵיהּ
[We can't do this because] we have learned	גְּמִירֵי
that we bring up in קְדוּשָּׁה	מַעֲלִין בַּקֹּדֶשׁ
and we don't bring down.	וְאֵין מוֹרִידִין

We never bring someone or something down in קְדוּשָּׁה. Therefore, רַבִּי אֶלְעָזָר בֶּן עֲזַרְיָה cannot be removed and will have to also remain as נָשִׂיא. However, having two נְשִׂיאִים can be a bit tricky.

One of the main issues that would need to be settled involved the weekly דְּרָשָׁה (lecture). The מִנְהָג (custom) in the יְשִׁיבָה was that each שַׁבָּת, the נָשִׂיא (or in this case, one of the נְשִׂיאִים) would give a special דְּרָשָׁה to the entire יְשִׁיבָה. Now that there were two נְשִׂיאִים, a system would have to be worked out to determine who would give the דְּרָשָׁה each שַׁבָּת:

If this __________ gives the דְּרָשָׁה for ______ שַׁבָּת	נִדְרוֹשׁ מַר חֲדָא שַׁבְּתָא
and [the other] ____________ [gives the דְּרָשָׁה for] _______ שַׁבָּת	וּמַר חֲדָא שַׁבְּתָא
they will ____________ to be jealous [of each other].	אָתֵי לְקַנְאוּיֵי

The most obvious solution would be for the two נְשִׂיאִים to switch off weeks to give the שִׁיעוּר. However, the problem with this is that if the two נְשִׂיאִים are seen as equal, without a clear higher and lower נָשִׂיא, there will always be tension about who gets to make the policy. A system is needed that clearly shows which of the נְשִׂיאִים is really in charge.

Rather,	אֶלָּא
רַבָּן גַּמְלִיאֵל will give the דְּרָשָׁה for ______ שַׁבָּתוֹת	לִדְרוֹשׁ ר"ג תְּלָתָא שַׁבְּתֵי
and רַבִּי אֶלְעָזָר בֶּן עֲזַרְיָה will [give the דְּרָשָׁה for] ____ שַׁבָּת.	וְראב"ע חֲדָא שַׁבְּתָא

The חֲכָמִים decided that רַבָּן גַּמְלִיאֵל would be the primary נָשִׂיא because he had been the established נָשִׂיא for many years. רַבִּי אֶלְעָזָר בֶּן עֲזַרְיָה would be the secondary נָשִׂיא because he was only brought in to fill a short-term need. By giving the דְּרָשָׁה every fourth שַׁבָּת, he will still retain his title as נָשִׂיא, but there will be no tension because it will be clear that רַבָּן גַּמְלִיאֵל is in charge.

חדש כסלו

יום א	יום ב	יום ג	יום ד	יום ה	ערב שבת	שבת קודש
א' כסלו	ב' כסלו	ג' כסלו	ד' כסלו	ה' כסלו	ו' כסלו	דְרָשָׁה מֵאֵת רַבָּן גַמְלִיאֵל ז' כסלו - פ' ויצא
ח' כסלו	ט' כסלו	י' כסלו	י"א כסלו	י"ב כסלו	י"ג כסלו	דְרָשָׁה מֵאֵת רַבָּן גַמְלִיאֵל י"ד כסלו - פ' וישלח
ט"ו כסלו	ט"ז כסלו	י"ז כסלו	י"ח כסלו	י"ט כסלו	כ' כסלו	דְרָשָׁה מֵאֵת רַבָּן גַמְלִיאֵל כ"א כסלו - פ' וישב
כ"ב כסלו	כ"ג כסלו	כ"ד כסלו	חנוכה כ"ה כסלו	חנוכה כ"ו כסלו	חנוכה כ"ז כסלו	דְרָשָׁה מֵאֵת רַבִּי אֶלְעָזָר בֶּן עֲזַרְיָה חנוכה כ"ח כסלו - פ' מקץ
חנוכה כ"ט כסלו	חנוכה ל' כסלו					

Now that we have learned this, we can understand a question that was once asked. Some time after our story, רַבִּי יְהוֹשֻׁעַ was visited by two of his תַּלְמִידִים. Upon seeing them, he asked the following question in order to learn who had given the דְּרָשָׁה:

And this is [the explanation for] ______ which the __________ (רַבִּי יְהוֹשֻׁעַ) said,	וְהַיְינוּ דְּאָמַר מַר
"Whose שַׁבָּת was it?"	**שַׁבָּת שֶׁל מִי הָיְתָה**
[He was answered] "It was [the שַׁבָּת] of רַבִּי אֶלְעָזָר בֶּן עֲזַרְיָה."	**שֶׁל ראב"ע הָיְתָה**

Before we learned this story, רַבִּי יְהוֹשֻׁעַ's question was not easily understood. Now that we have been taught about the דְּרָשָׁה rotation, it is clear that he wanted to know which of the נְשִׂיאִים had given the דְּרָשָׁה that שַׁבָּת.

Now that the story has a peaceful ending, we can find out the identity of the תַּלְמִיד who asked the שְׁאֵלָה (do you remember what it was?) that started all the "trouble":

And that תַּלְמִיד [who started the whole story]	**וְאוֹתוֹ תַּלְמִיד**
__________ רַבִּי שִׁמְעוֹן בֶּן יוֹחָאי.	**ר' שִׁמְעוֹן בֶּן יוֹחָאי הֲוָה:**

Now that we have finished learning the story, we can go back and try to get answers to some of the questions that bothered us in the beginning:

 |

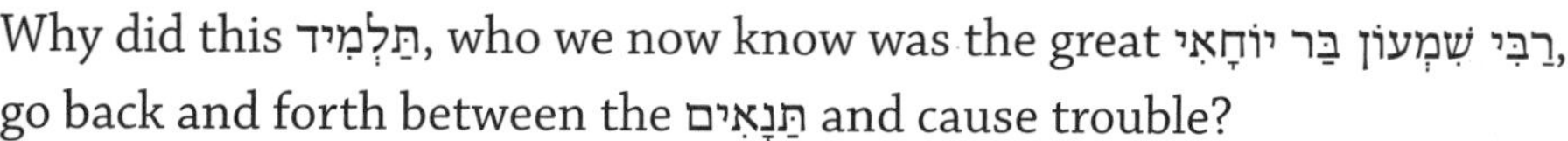

Why did this תַּלְמִיד, who we now know was the great רַבִּי שִׁמְעוֹן בַּר יוֹחָאי, go back and forth between the תַּנָּאִים and cause trouble?

Why did רַבָּן גַּמְלִיאֵל treat רַבִּי יְהוֹשֻׁעַ so harshly just for disagreeing?

Why did רַבִּי יְהוֹשֻׁעַ seemingly lie when he was asked if he disagreed?

In order to answer these questions, we need to understand what was going on in our history at that point. This story takes place shortly after the בֵּית הַמִּקְדָּשׁ was destroyed and the סַנְהֶדְרִין moved to the city of יַבְנֶה. The סַנְהֶדְרִין was led by the נָשִׂיא, who at this time was רַבָּן גַּמְלִיאֵל. The main concern that רַבָּן גַּמְלִיאֵל had was that people would begin to question the authority of the סַנְהֶדְרִין, since it was no longer located in the בֵּית הַמִּקְדָּשׁ. To make it clear that EVERYONE must still listen to the נָשִׂיא, he decided to make an example out of the greatest תַּלְמִיד חָכָם around – רַבִּי יְהוֹשֻׁעַ. If even HE had to listen to the נָשִׂיא, then surely everyone else would understand that they, too, need to respect the authority of the סַנְהֶדְרִין. In fact, even רַבִּי יְהוֹשֻׁעַ agreed that the word of the נָשִׂיא had to be upheld at this time. It is for this reason that when רַבָּן גַּמְלִיאֵל had asked him if anyone disagreed with his שִׁיטָה (that מַעֲרִיב is mandatory), רַבִּי יְהוֹשֻׁעַ stated that he did not. Although he had privately stated that he held that מַעֲרִיב is a רְשׁוּת, he chose to accept the שִׁיטָה of the נָשִׂיא and avoid public disagreement. However, רַבָּן גַּמְלִיאֵל did not want to give up the opportunity to demonstrate that disagreement was unacceptable. The other חֲכָמִים felt that even though רַבָּן גַּמְלִיאֵל had intended to do the right thing, he was not careful enough with the honor of רַבִּי יְהוֹשֻׁעַ.

What is clear, as we have pointed out several times throughout the story, is that all the תַּנָּאִים involved were ALWAYS acting לְשֵׁם שָׁמַיִם – trying to do what ה׳ wanted – and not being selfish or abusing power. If רַבָּן גַּמְלִיאֵל was really only interested in his own power, he would never have stayed in the בֵּית הַמִּדְרָשׁ after he had been removed from the נְשִׂיאוּת. If רַבִּי אֶלְעָזָר בֶּן עֲזַרְיָה was just being quick to grab some extra honor, he would have listened to his wife's warning and not taken the job out of fear of being removed. Remember, when we speak about the צַדִּיקִים of those generation, we are speaking about incredibly great people who were only interested in serving ה׳.

This idea is also clear from the fact that the one who started the whole story was רַבִּי שִׁמְעוֹן בַּר יוֹחָאי – the ultimate seeker of truth. רַבִּי שִׁמְעוֹן was clearly interested in finding out the true הֲלָכָה about מַעֲרִיב and not חַס וְשָׁלוֹם in starting a fight. That is why the גְּמָרָא conceals his identity until the end of the story. His name is only given once we have seen that his actions caused a great increase in תּוֹרָה learning and greater peace among the חֲכָמִים.

Remember, when we learn אַגַּדְתָּא, the main point is to learn the lessons that we are being taught and try to live by them and not to just gain the knowledge of the story.

PUT IT ALL TOGETHER:

1. Read, translate and explain the following גְּמָרָא.

א"ל ר"ע רַבִּי יְהוֹשֻׁעַ נִתְפַּיַּיסְתָּ כְּלוּם עָשִׂינוּ אֶלָּא בִּשְׁבִיל
כְּבוֹדְךָ לְמָחָר אֲנִי וְאַתָּה נַשְׁכִּים לְפִתְחוֹ אַמְרֵי הֵיכִי נֶעֱבִיד נַעַבְרֵיהּ *גְּמִירֵי מַעֲלִין בַּקֹּדֶשׁ וְאֵין מוֹרִידִין
נִדְרוֹשׁ מַר חָדָא שַׁבְּתָא וּמַר חָדָא שַׁבְּתָא אָתֵי לְקַנְּאוּיֵי אֶלָּא לִדְרוֹשׁ ר"ג *תְּלָתָא שַׁבָּתֵי וְראב"ע חָדָא
שַׁבְּתָא וְהַיְינוּ דְּאָמַר מַר *שַׁבָּת שֶׁל מִי הָיְתָה שֶׁל ראב"ע הָיְתָה וְאוֹתוֹ תַּלְמִיד ר' שִׁמְעוֹן בֶּן יוֹחָאי הֲוָה:

2. Who had forgiven whom? ____________________

3. What did the חֲכָמִים want to do with רַבָּן גַּמְלִיאֵל as a result? ____________________

____

4. Why couldn't they completely reinstate רַבָּן גַּמְלִיאֵל as the נָשִׂיא? ____________________

____

5. Why couldn't the נְשִׂיאוּת be shared equally? ____________________

____

6. What final solution was given for the problem? ____________________

____

7. As a result of this solution, what question was often asked? ____________________

____

8. Who was the תַּלְמִיד who had asked the שְׁאֵלָה at the beginning of the story? ____________________

____

9. Please write one valuable lesson that you learned from this story.____________________

____

____

____

VOCABULARY REVIEW:

את"ל ______________________

בָּעֵי ______________________

דוּכְתָּא ______________________

תְּרֵי ______________________

דִילְמָא ______________________

MATCHING:

____	1. The נָשִׂיא would say the ____________	א. תְּלָתָא שַׁבְּתֵי
____	2. Why the נְשִׂיאִים couldn't be equal	ב. מַעֲלִין בַּקּוֹדֶשׁ וְלֹא מוֹרִידִין
____	3. He was only trying to find the truth	ג. לְשֵׁם שָׁמַיִם
____	4. How often רַבָּן גַּמְלִיאֵל would say the דְרָשָׁה	ד. דְרָשָׁה
____	5. Was going to be the "lower" נָשִׂיא	ה. רַבִּי אֶלְעָזָר בֶּן עֲזַרְיָה
____	6. A question that we now understand	ו. אָתֵי לְקַנְּאוּיֵי
____	7. Why they couldn't remove רַבִּי אֶלְעָזָר בֶּן עֲזַרְיָה	ז. חֲדָא שַׁבְּתָא
____	8. How often רַבִּי אֶלְעָזָר בֶּן עֲזַרְיָה would say the דְרָשָׁה	ח. רַבִּי שִׁמְעוֹן בַּר יוֹחָאי
____	9. Was going to be the "higher" נָשִׂיא	ט. שַׁבָּת שֶׁל מִי הָיְתָה
____	10. The way that all of the חֲכָמִים were acting during this story	י. רַבָּן גַּמְלִיאֵל

Our סוּגְיָא began (in שִׁיעוּר ל"ז) by quoting th next line in our מִשְׁנָה. The מִשְׁנָה taught tha the תְּפִלָּה of מַעֲרִיב __________________

The גְמָרָא wanted to know what is meant by the word ____________________. The simple meaning of thes words is that one may daven מַעֲרִיב __________________ However, the גְמָרָא does not accept this explanation. A ter all, if that explanation was correct, the מִשְׁנָה coul have simply said ____________________________

The גְמָרָא answers that the מִשְׁנָה uses the words ________________________ to teach us that we hold like the תַּנָא who says that the תְּפִלָּה of מַעֲרִיב ________________________. This is necessary because we had a מַחֲלוֹקֶת abou this. רַבָּן גַּמְלִיאֵל had said that the תְּפִלָּה of מַעֲרִיב is ____________________, ar רַבִּי יְהוֹשֻׁעַ had said that the תְּפִלָּה of מַעֲרִיב is ____________________.

The גְמָרָא concludes that אַבַּיֵי says that we pasken like the תַּנָא who holds that th תְּפִלָּה of מַעֲרִיב is ________________________, and רָבָא says that we pasken lik the תַּנָא who holds that the תְּפִלָּה of מַעֲרִיב is ______________________.

אגדתא

We were then told a story about a תַּלְמִיד who first came to ______________ and asked him if the תְּפִלָּה of ______________ is ______________ or ______________. רַבִּי יְהוֹשֻׁעַ told him that ______________.
He then came to ______________ and asked the same question. רַבָּן גַּמְלִיאֵל told him that ______________. When he told רַבָּן גַּמְלִיאֵל that ______________ had told him differently, רַבָּן גַּמְלִיאֵל told him to wait until ______________.

When the ______________ had entered the ______________, the asker asked if ______________. רַבָּן גַּמְלִיאֵל answered that ______________.
רַבָּן גַּמְלִיאֵי then asked if anyone ______________. ______________ answered that no one ______________. Then רַבָּן גַּמְלִיאֵל instructed רַבִּי יְהוֹשֻׁעַ to ______________ so that they could ______________ about him. רַבִּי יְהוֹשֻׁעַ stood up and said, "If I was ______________ and he was ______________, then I would be able to ______________ his words. However, now that I am ______________ and he is ______________, how can ______________."

שיעור לט

רַבִּי יְהוֹשֻׁ remained ______________ and רַבָּן גַּמְלִיאֵל sat and ______________. The people were so upset that they told ______________ to ______________.

The חֲכָמִים decided that they could no longer tolerate seeing רַבָּן גַּמְלִיאֵל pain ______________. They counted three times when this happened:

1. ______________
2. ______________
3. ______________

They decided that it was time to ______________ רַבָּן גַּמְלִיאֵל from the position of ______________. They

סוגיא ה'

REVIEW CONTINUED

then had to decide who would be the new ______________. The first person that they considered was ________________. However, they decided not to appoint him because ______________ ____. The second person that they considered was ______________. However, they decided not to appoint him either because ________________________________ ________________________________.

Finally, they decided to offer the position to ____________________. He had three qualifications that they felt were important:

א. Qualification ____________________ Importance ____________________ ____

ב. Qualification ____________________ Importance ____________________ ____

ג. Qualification ____________________ Importance ____________________ ____

When the חֲכָמִים came to offer him the job, he told them that he needed to ask ______________ When he asked her, she had two concerns. Her first concern was ______________ __________. To this he gave a מָשָׁל that it is better for a person to use ______________ for on day (even if it will ______________), than to never use it at all. The meaning of this מָשָׁל is tha it would be better for him to ______________________ for a short while, even if he wi later be ____________, than to refuse the job in the first place. The second concern was that he ha no ________________. To deal with this, ה' made a miracle and he developed _______ rows c ________________. His true age on that day was ____________. But he stated that he was like __ ______________________________.

nat day, they removed the ____________________ who had been necessary in the times of רַבָּן גַּמְלִיאֵ. He had been needed because ______________ had a rule that in order to come into the בֵּית הַמִּדְרָ, a תַּלְמִיד had to be ______________________________________.

owever, רַבִּי אֶלְעָזָר בֶּן עֲזַרְיָה allowed ______________ to come in. As a result, many ______________ had to be added to the בֵּית הַמִּדְרָשׁ. There is a מַחֲלוֹקֶת about the exact number. ne שִׁיטָה says that they added ______ and the other שִׁיטָה says that they added ________.

pon seeing this, רַבָּן גַּמְלִיאֵל felt _________. He feared that he had ______________________ ______________________________.

o make him feel better, ה׳ showed him a dream in which he saw ______________________ _________. The message of the dream was that just like these pitchers were __________ on the utside but __________ on the inside, so too, these new תַּלְמִידִים looked on the outside as if they ______________________, but on the inside they ______________________ ____________________________. However, the dream was only shown to him so that he ______________________. The truth was that the correct approach was to allow ____________ ________________________.

שיעור מב

aving so many new תַּלְמִידִים in the בֵּית הַמִּדְרָשׁ caused the learning of that day to be very special. In ict, we learn three great things about that day:

1. On that day they taught __________ מַסֶּכֶת.
2. Any time that the חֲכָמִים use the words _____________________ it refers to that day.
3. There was not one ____________ that was left in doubt.

lthough we might understand if רַבָּן גַּמְלִיאֵל would have run away, we see that he did not leave

סוגיא ה'

REVIEW CONTINUED

the ________________. We know this because we have a מִשְׁנָה which tells a story in which יְהוּדָה, who was a גֵּר from the land of __________, came to the חֲכָמִים and asked if he could __________ ______________________. רַבָּן גַּמְלִיאֵל told him that he could ________________________________ and רַבִּי יְהוֹשֻׁעַ told him that he could ____________________________________. After a long debate, it was decided that he ________________________________. This מִשְׁנָה begins with the words _____________. We, therefore, know that the story took place on the day that we are discussing. As we have said, we could have understood if רַבָּן גַּמְלִיאֵל would not have been there. Yet, we see that רַבָּן גַּמְלִיאֵל was present in the ______________________. This shows us how great and humble רַבָּן גַּמְלִיאֵל was.

שיעור מג

At this point, רַבָּן גַּמְלִיאֵל decided to go and __________________ רַבִּי יְהוֹשֻׁעַ. When he got to his house he noticed that ______________________________. He commented that רַבִּי יְהוֹשֻׁעַ must have been a ____________________. When he said this, רַבִּי יְהוֹשֻׁעַ responded harshly. He said, "Woe to the generation that ________________________, because you don't even know ______________ __________________________."

רַבָּן גַּמְלִיאֵל asked רַבִּי יְהוֹשֻׁעַ to ______________ him. At first, רַבִּי יְהוֹשֻׁעַ did not ________________________. But when רַבָּן גַּמְלִיאֵל asked him do it in the זְכוּת of ________________________, רַבִּי יְהוֹשֻׁעַ was appeased.

They decided to inform the חֲכָמִים that רַבִּי יְהוֹשֻׁעַ had __________________________. The volunteer to deliver the message was a _________________________. רַבִּי יְהוֹשֻׁעַ sent him with the following message: The one who has _________________________ should _________________________. It would not be proper for one who has never __________________________ to tell the one who has _______________________ to ____.

However, the _____________ was not able to deliver the message. This is because רַבִּי עֲקִיבָא had instructed the חֲכָמִים to ____________________________________ so that ______________________ ______________ could not come and ______________________________.

 |

ıerefore, _________________ decided to deliver the message himself. He arrived to the בֵּית הַמִּדְרָשׁ ıd told the חֲכָמִים that someone who (both he and his father) had sprinkled the water of the _____________ should continue to do so. It would not be proper for someone who had never ›rinkled this water to tell the one with experience that his water is _________________________ ıd his ashes are ______________________________. The meaning of this message is ___________ ____.

שיעור מד

pon hearing that רַבִּי יְהוֹשֻׁעַ had forgiven רַבָּן גַּמְלִיאֵל, the חֲכָמִים decided to ___________________________. However, they could not completely remove רַבִּי אֶלְעָזָר בֶּן עֲזַרְיָה ecause ____. They therefore decided that ıere would have to be two __________________. In order to make this work, they could not have a stem where each one would say the ______________ on alternating weeks, switching off equally. ıis would not work because ___________________________________. Instead, they decided to ıve ________________ give the דְּרָשָׁה for ____ week(s) and ______________________ give the דְּרָשָׁ for ____ week(s). We now understand the question that had been asked: "Whose ___________ ___________________?"

: the end of the גְּמָרָא, we are told that the תַּלְמִיד who had asked the question which started our story as none other than ____________________________________.

ease write three lessons that you learned from this story:

1. ____

____

2. ____

____

3. ____

____

סוגיא ו'

שיעורים
מ"ה - מ"ט

שיעור
מה
כח. lines 44-48

STEP 1

The גְּמָרָא once again gives us a phrase with ":" before it and after it. This means that the גְּמָרָא will now ________________________________. The גְּמָרָא quotes only a part of the phrase that is needed at this point (just like we saw in שִׁיעוּר כ"ד). However, when we read the גְּמָרָא, we will read the entire phrase so that the גְּמָרָא can be more clearly understood.

Now let's learn the מֵימְרָא (which is the quote from our מִשְׁנָה) that begins our סוּגְיָא:

And the תְּפִלָּה of מוּסָף [may be said] all day (until evening).	**וְשֶׁל מוּסָפִין כָּל הַיּוֹם:**
[רַבִּי יְהוּדָה says	**[רַבִּי יְהוּדָה אוֹמֵר**
Until seven hours] (after sunrise).	**עַד שֶׁבַע שָׁעוֹת.]**

STEP 2

רַבִּי יוֹחָנָן will tell us how we pasken in this מַחֲלוֹקֶת as well as how we should conduct ourselves:

רַבִּי יוֹחָנָן said	א"ר יוֹחָנָן
And he (one who davens past the seventh hour) is called negligent.	וְנִקְרָא פּוֹשֵׁעַ

The words of רַבִּי יוֹחָנָן teach us two things. First of all, the fact that he is discouraging a person from davening past seven hours teaches us that it is permitted to do so. After all, if רַבִּי יוֹחָנָן paskened like רַבִּי יְהוּדָה, that it is אָסוּר to daven at that time, all he would have said is that the הֲלָכָה is like רַבִּי יְהוּדָה (just as the גְּמָרָא did at the conclusion of the discussion of תְּפִלַּת שַׁחֲרִית). There would not have been a need to warn a person that he would be labeled as a פּוֹשֵׁעַ.

The other thing that we learn from רַבִּי יוֹחָנָן's words is that one who davens after the זְמַן of רַבִּי יְהוּדָה is looked down upon and is given this shameful title of a "פּוֹשֵׁעַ – negligent person."

תפלת
השחר
פרק רביעי
ברכות

מימרא

STEP 3

The גְּמָרָא will now teach us a בְּרַיְיתָא that is related to this topic. If this בְּרַיְיתָא sounds familiar, there is a good reason. Back in שִׁיעוּר י״ז, in the סוּגְיָא of עַד וְעַד בִּכְלָל, we quoted this בְּרַיְיתָא as part of a רַאֲיָה. The סוּגְיָא that we are learning now is the original source of the בְּרַיְיתָא. In other words, the גְּמָרָא in שִׁיעוּר י״ז was quoting our גְּמָרָא when it brought down the בְּרַיְיתָא. The גְּמָרָא will often quote things that appear further on, even though it may seem confusing to us who learn the גְּמָרָא in order.

_______________________	ת״ר (תָּנוּ רַבָּנָן)

Let's remember: The words תָּנוּ רַבָּנָן always introduce a בְּרַיְיתָא. However, unlike the words וּרְמִינְהוּ and מֵיתִיבֵי, the words תָּנוּ רַבָּנָן do not introduce a בְּרַיְיתָא as a סְתִירָה or a קֻשְׁיָא. Rather, the גְּמָרָא is simply teaching us the בְּרַיְיתָא so that we will know it. These two words let us know that this is the original source of this בְּרַיְיתָא.

[If] there were before him	**הָיוּ לְפָנָיו**
two תְּפִלּוֹת (and he had a choice which one to say first)	**שְׁתֵּי תְּפִלּוֹת**
one of מִנְחָה	**אַחַת שֶׁל מִנְחָה**
and one of מוּסָף	**וְאַחַת שֶׁל מוּסָף**
he should [first] daven [the תְּפִלָּה] of מִנְחָה	**מִתְפַּלֵּל שֶׁל מִנְחָה**
and afterwards he should daven [the תְּפִלָּה] of מוּסָף	**ואח״כ (וְאַחַר כַּךְ) מִתְפַּלֵּל שֶׁל מוּסָף**
because this one (מִנְחָה) is common	**שֶׁזּוֹ תְּדִירָה**
and this one (מוּסָף) is not common.	**וְזוֹ אֵינָהּ תְּדִירָה**
רַבִּי יְהוּדָה says	**ר׳ יְהוּדָה אוֹמֵר**
He should [first] daven [the תְּפִלָּה] of מוּסָף	**מִתְפַּלֵּל שֶׁל מוּסָף**
and afterwards he should daven [the תְּפִלָּה] of מִנְחָה	**ואח״כ (וְאַחַר כַּךְ) מִתְפַּלֵּל שֶׁל מִנְחָה**
because this one (מוּסָף) is a מִצְוָה that is passing	**שֶׁזּוֹ מִצְוָה עוֹבֶרֶת**
and this one (מִנְחָה) is a מִצְוָה that is not passing.	**וְזוֹ מִצְוָה שֶׁאֵינָהּ עוֹבֶרֶת**

This בְּרַיְיתָא discusses a case when a person did not daven מוּסָף in the morning and has still not davened מוּסָף when the זְמַן for מִנְחָה has begun. Which one does he say first?

The שִׁיטוֹת of the חֲכָמִים and רַבִּי יְהוּדָה are both very understandable. According to the חֲכָמִים, both מוּסָף and מִנְחָה can be said until the day is over. Therefore, we apply the rule of "תָּדִיר וְשֶׁאֵינוֹ תָּדִיר, תָּדִיר קוֹדֶם". This means that if you have two מִצְווֹת to do and one is more common than the other, you first do the more common one. Therefore, the חֲכָמִים say to daven מִנְחָה first because it is more common. After all, we daven מִנְחָה every day, but we only daven מוּסָף on שַׁבָּת, יוֹם טוֹב and רֹאשׁ חוֹדֶשׁ.

רַבִּי יְהוּדָה, on the other hand, holds that the time to daven מוּסָף will end at the seventh hour. The time to daven מִנְחָה will not end until פְּלַג הַמִּנְחָה. Therefore, רַבִּי יְהוּדָה says, since the time to daven מוּסָף will end sooner, one should daven מוּסָף first so that he will not miss it.

STEP 4

רַבִּי יוֹחָנָן will tell us how we pasken in this מַחֲלוֹקֶת.

רַבִּי יוֹחָנָן said	א"ר יוֹחָנָן
The הֲלָכָה is	הֲלָכָה
one should daven מִנְחָה	מִתְפַּלֵּל שֶׁל מִנְחָה
and afterwards he should daven מוּסָף.	ואח"כ (וְאַחַר כַּךְ) מִתְפַּלֵּל שֶׁל מוּסָף

רַבִּי יוֹחָנָן is telling us that the הֲלָכָה follows the שִׁיטָה of the חֲכָמִים, that one should daven מִנְחָה first.

חֲכָמִים אוֹמְרִים
מִתְפַּלֵּל שֶׁל מִנְחָה וְאַחַר כַּךְ מִתְפַּלֵּל שֶׁל מוּסָף

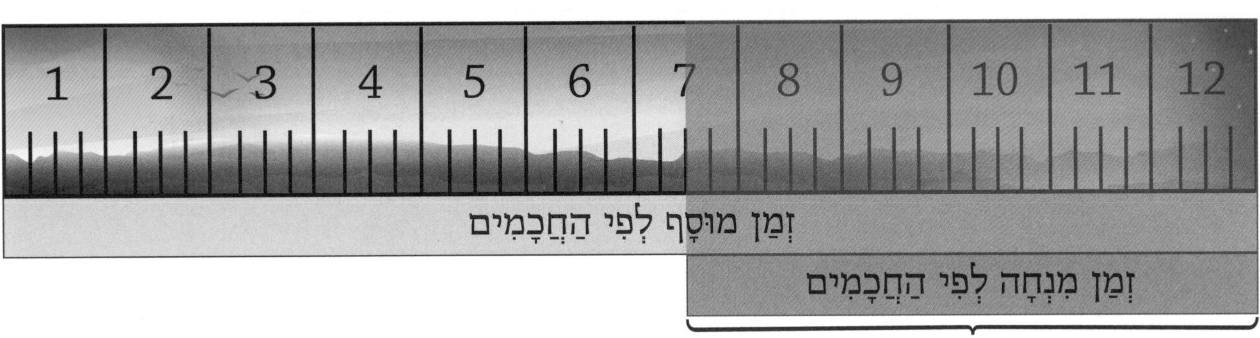

Both תְּפִילוֹת will end at the same time,
so daven מִנְחָה first
because it is more common.

רַבִּי יְהוּדָה אוֹמֵר
מִתְפַּלֵּל שֶׁל מוּסָף וְאַחַר כַּךְ מִתְפַּלֵּל שֶׁל מִנְחָה

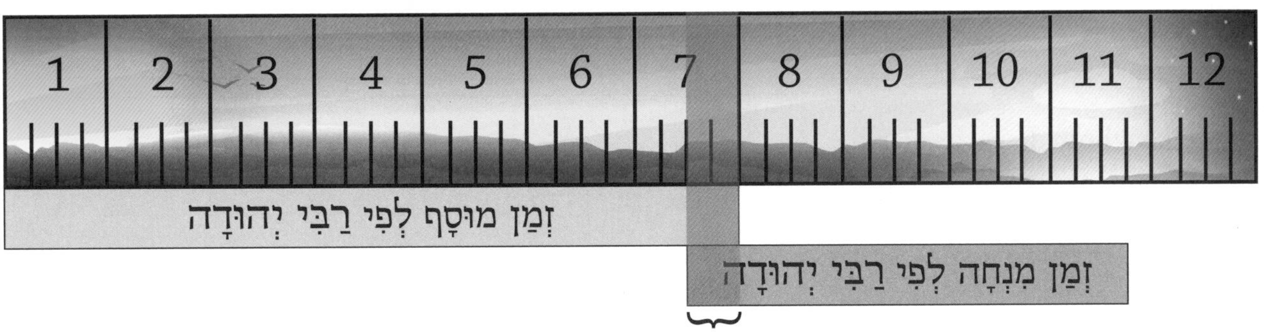

Daven מוּסָף first, because
it is about to end.

VOCABULARY REVIEW:

אֵימָא ______________________

נֵימָא ______________________

לְמֵימְרָא ______________________

תֵּימָא ______________________

תְּרֵי ______________________

PUT IT ALL TOGETHER:

1. Read, translate and explain the following גְּמָרָא.

ה׳וְשֶׁל
פִּין כָּל הַיּוֹם: א"ר יוֹחָנָן ו׳וְנִקְרָא פּוֹשֵׁעַ ת"ר *הָיוּ לְפָנָיו שְׁתֵּי תְּפִלּוֹת אַחַת שֶׁל מִנְחָה וְאַחַת שֶׁל מוּסָף
לֵּל שֶׁל מִנְחָה וְאח"כ מִתְפַּלֵּל שֶׁל מוּסָף שֶׁזּוּ תְּדִירָה וְזוּ אֵינָהּ תְּדִירָה ר׳ יְהוּדָה אוֹמֵר מִתְפַּלֵּל שֶׁל מוּסָף
״כ מִתְפַּלֵּל שֶׁל מִנְחָה שֶׁזּוּ מִצְוָה עוֹבֶרֶת וְזוּ מִצְוָה שֶׁאֵינָהּ עוֹבֶרֶת *א"ר יוֹחָנָן הֲלָכָה מִתְפַּלֵּל שֶׁל מִנְחָה וְאח"כ
לֵּל שֶׁל מוּסָף

2. Until when may a person daven מוּסָף?

   א. חֲכָמִים ______________________

   ב. רַבִּי יְהוּדָה ______________________

3. Like whom do we pasken? ______________________

4. What title is given to one who misses the זְמַן of רַבִּי יְהוּדָה? ______________________

5. The בְּרַיְיתָא discusses a situation when a person ______________________

____

6. What do the חֲכָמִים say to do? Why? ______________________

____

7. What does רַבִּי יְהוּדָה say to do? Why? ______________________

____

8. What is the פְּסַק of רַבִּי יוֹחָנָן? ______________________

____

IDENTIFY THE STEPS:

BE SURE TO INCLUDE EVERY WORD.

יוֹשֵׁי

מוּסָפִין כָּל הַיּוֹם: א"ר יוֹחָנָן וְנִקְרָא פּוֹשֵׁעַ ת"ר *הָיוּ לְפָנָיו שְׁתֵּי תְּפִלּוֹת אַחַת שֶׁל מִנְחָה וְאַחַת שֶׁל מוּסָן
מִתְפַּלֵּל שֶׁל מִנְחָה וְאח"כ מִתְפַּלֵּל שֶׁל מוּסָף שֶׁזּוֹ תְּדִירָה וְזוֹ אֵינָהּ תְּדִירָה ר' יְהוּדָה אוֹמֵר מִתְפַּלֵּל שֶׁל מוּסָן
וְאח"כ מִתְפַּלֵּל שֶׁל מִנְחָה שֶׁזּוֹ מִצְוָה עוֹבֶרֶת וְזוֹ מִצְוָה שֶׁאֵינָהּ עוֹבֶרֶת *א"ר יוֹחָנָן הֲלָכָה מִתְפַּלֵּל שֶׁל מִנְחָה וְאח"כ
מִתְפַּלֵּל שֶׁל מוּסָף

Please **circle** the first מֵימְרָא

Please **(parenthesize)** the second מֵימְרָא

Please **underline** the first מַסְקָנָא

Please **[bracket]** the second מַסְקָנָא

MATCHING:

_____ 1. רַבִּי יְהוּדָה's reason is that מוּסָף is _____

_____ 2. One who davens מוּסָף after the time of רַבִּי יְהוּדָה is called a _________

_____ 3. רַבִּי יְהוּדָה says to say _________ first

_____ 4. The חֲכָמִים's reason is that מִנְחָה is _____

_____ 5. The הֲלָכָה follows the ____________

_____ 6. The חֲכָמִים say to say _______ first

_____ 7. Step 1 of the סוּגְיָא

_____ 8. Step 2 of the סוּגְיָא

_____ 9. Step 3 of the סוּגְיָא

_____ 10. Step 4 of the סוּגְיָא

א. מֵימְרָא

ב. מֵימְרָא

ג. מַסְקָנָא

ד. מַסְקָנָא

ה. עוֹבֶרֶת

ו. מוּסָף

ז. חֲכָמִים

ח. מִנְחָה

ט. פּוֹשֵׁעַ

י. תְּדִירָה

The גְּמָרָא will now tell us a short story that connects to what we learned in the last שִׁיעוּר:

רַבִּי זֵירָא	ר׳ זֵירָא
when he was ______________	כִּי הֲוָה חָלִישׁ
from his learning	מִגִּירְסֵיהּ
he would ___________ and ____________	הֲוָה אָזֵיל וְיָתִיב
at the entrance of the יְשִׁיבָה of רַבִּי נָתָן בַּר טוֹבִי.	אַפִּתְחָא דְּבֵי ר׳ נָתָן בַּר טוֹבִי
He said	אָמַר
When the רַבָּנָן pass	כִּי חָלְפִי רַבָּנָן
I will then get up from before them	אָז אֵיקוּם מִקַּמַּיְיהוּ
and I will receive reward.	וְאֲקַבֵּל אַגְרָא

Everyone, even the great רַבִּי זֵירָא, would need a break once in a while. But if רַבִּי זֵירָא could not be involved in learning for a few minutes, he, at the very least, wanted to give כְּבוֹד הַתּוֹרָה to those who were learning. He did this by standing up for the חֲכָמִים who came to the יְשִׁיבָה.

רַבִּי נָתָן בַּר טוֹבִי ____________ [and] came.	נְפַק אָתָא ר׳ נָתָן בַּר טוֹבִי
He said ________________ (רַבִּי זֵירָא to רַבִּי נָתָן בַּר טוֹבִי)	א״ל (אָמַר לֵיהּ)
_________ said the הֲלָכָה in the בֵּית הַמִּדְרָשׁ?	מַאן אָמַר הֲלָכָה בֵּי מִדְרָשָׁא
He said ________________ (רַבִּי זֵירָא to רַבִּי נָתָן בַּר טוֹבִי)	א״ל (אָמַר לֵיהּ)
_________ said רַבִּי יוֹחָנָן:	הָכֵי א״ר יוֹחָנָן
"The הֲלָכָה is not like רַבִּי יְהוּדָה	אֵין הֲלָכָה כְּר׳ יְהוּדָה
______ said that one [first] davens מוּסָף	דְּאָמַר מִתְפַּלֵּל אָדָם שֶׁל מוּסָף
and afterwards davens מִנְחָה."	וְאח״כ מִתְפַּלֵּל שֶׁל מִנְחָה

Just to be sure, רַבִּי זֵירָא is going to confirm that he now has this teaching of רַבִּי יוֹחָנָן correct:

He said ________________ (רַבִּי נָתָן בַּר טוֹבִי to רַבִּי זֵירָא)	א"ל (אָמַר לֵיהּ)
רַבִּי יוֹחָנָן said it?	רַבִּי יוֹחָנָן אֲמָרָהּ
He said ________________ ________________.	אָמַר לֵיהּ אֵין
He learned it from him forty times.	תְּנָא מִינֵּיהּ אַרְבְּעִין זִמְנִין

רַבִּי נָתָן בַּר טוֹבִי was a bit surprised that רַבִּי זֵירָא was working so hard to understand something that seemed rather simple. So he asked him why he was doing so much review.

He said ________________ (רַבִּי זֵירָא to רַבִּי נָתָן בַּר טוֹבִי)	א"ל (אָמַר לֵיהּ)
Is this [the first] _______ for you? (Is this the first teaching of רַבִּי יוֹחָנָן that you ever heard?)	חֲדָא הִיא לָךְ

One possibility is that this teaching was so precious to רַבִּי זֵירָא because it was the first teaching he ever heard from רַבִּי יוֹחָנָן. However, there was another possibility:

Or is this new for you?	אוֹ חֲדַת הִיא לָךְ

The other possibility is that he reviewed this teaching so much because he had never heard it before and found it tricky.

He said ________________ (רַבִּי נָתָן בַּר טוֹבִי to רַבִּי זֵירָא)	א"ל (אָמַר לֵיהּ)
It is (sort of) new for me	חֲדַת הִיא לִי
because I was in doubt	מִשּׁוּם דִּמְסַפְּקָא לִי
with רַבִּי יְהוֹשֻׁעַ בֶּן לֵוִי.	בְּר' יְהוֹשֻׁעַ בֶּן לֵוִי:

רַבִּי זֵירָא responded that although he heard this teaching before, he was unsure if it was originally said by רַבִּי יוֹחָנָן or רַבִּי יְהוֹשֻׁעַ בֶּן לֵוִי. Therefore, he wanted to review it so that he would be clear as to who taught this הֲלָכָה.

PUT IT ALL TOGETHER:

1. Read, translate and explain the following גְּמָרָא.

ר׳ זֵירָא °כִּי הֲוָה חָלִישׁ מִגִּירְסֵיהּ הֲוָה אָזִיל וְיָתִיב אַפִּתְחָא דְּבֵי ר׳ נָתָן בַּר טוֹבִי אָמַר כִּי חָלְפִי
בָּנָן אָז אֵיקוּם מִקַּמַּיְיהוּ וַאֲקַבֵּל אַגְרָא נְפַק אָתָא ר׳ נָתָן בַּר טוֹבִי א״ל מַאן אָמַר הֲלָכָה בֵּי מִדְרְשָׁא א״ל הָכֵי א״ר
וֹחָנָן אֵין הֲלָכָה כְּר׳ יְהוּדָה דְּאָמַר מִתְפַּלֵּל אָדָם שֶׁל מוּסָף וְאח״כ מִתְפַּלֵּל שֶׁל מִנְחָה א״ל רַבִּי יוֹחָנָן אֲמָרָהּ אָמַר
יהּ אֵין *תָּנָא מִינֵּיהּ אַרְבְּעִין זִמְנִין א״ל חֲדָא הִיא לָךְ אוֹ חֲדַת הִיא א״ל חֲדַת הִיא לִי מִשּׁוּם דִּמְסַפְּקָא לִי
ר׳ יְהוֹשֻׁעַ בֶּן לֵוִי:

2. Why was רַבִּי זֵירָא weak? __________

3. What did he plan to do while he was too weak to learn? __________

4. Who came at that time? __________

5. What did רַבִּי זֵירָא ask him? __________

6. What answer was given to רַבִּי זֵירָא? __________

7. What did רַבִּי זֵירָא do that seemed strange? __________

8. What two explanations were offered for his behavior?

א. __________

ב. __________

9. What was the actual reason for what he did? Explain. __________

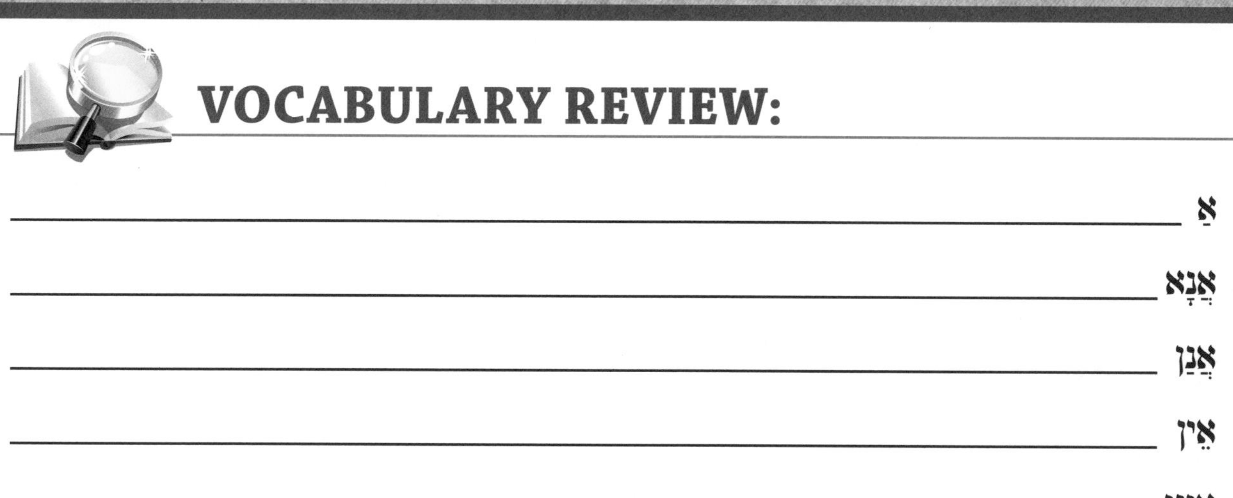

VOCABULARY REVIEW:

אַ ______________________________

אֲנָא ______________________________

אֲנַן ______________________________

אֵין ______________________________

אֵינִי ______________________________

MATCHING:

_____	1. He was weak	א. חֲדַת הִיא לָךְ
_____	2. What made him weak	ב. רַבִּי יוֹחָנָן
_____	3. When he couldn't learn, he wanted to give ___	ג. חָדָא הִיא לָךְ
_____	4. He came by	ד. אַרְבְּעִין זִמְנִין
_____	5. The הֲלָכָה is not like ____________	ה. רַבִּי זֵירָא
_____	6. That's a lot of חֲזָרָה	ו. רַבִּי יְהוּדָה
_____	7. Is it the only thing you heard from him?	ז. רַבִּי יְהוֹשֻׁעַ בֶּן לֵוִי
_____	8. Is it new and tricky?	ח. גִּירְסֵיהּ
_____	9. Who really taught this?	ט. רַבִּי נָתָן בַּר טוֹבִי
_____	10. רַבִּי זֵירָא was unsure if _______ had taught it.	י. כְּבוֹד הַתּוֹרָה

שיעור מז

כח. lines 52-56

The גְּמָרָא will now present us with more אַגַדְתָּא. However, this אַגַדְתָּא will not be telling us stories; rather, it will make דְּרָשׁוֹת on a פָּסוּק to teach us important lessons.

It is important to understand that although the פְּסוּקִים of the תּוֹרָה usually have a clearly understood meaning (known as the פְּשַׁט), the פְּסוּקִים can also teach us other things when the words are looked at in a different way. This is known as דְּרַשׁ*. Please note that when the גְּמָרָא presents a דְּרָשָׁה on a פָּסוּק, it is not telling us that this is the simple meaning of the פָּסוּק. Rather, the גְּמָרָא is teaching us that the פָּסוּק has an additional, deeper meaning which is equally as important as the פְּשַׁט.

The גְּמָרָא will now present a דְּרָשָׁה which will teach us the importance of davening מוּסָף in the first seven hours of the day. In שִׁיעוּר מ״ה, רַבִּי יוֹחָנָן taught us that the הֲלָכָה follows the שִׁיטָה of the חֲכָמִים, who hold that one may daven מוּסָף the entire day. However, he also taught us that one who misses the seven hours that רַבִּי יְהוּדָה allows, is called a פּוֹשֵׁעַ. Similarly, רַבִּי יְהוֹשֻׁעַ בֶּן לֵוִי will teach us that a person who misses this time is spoken of harshly. To do so, he will quote a פָּסוּק from סֵפֶר צְפַנְיָה. Remember, the way that רַבִּי יְהוֹשֻׁעַ בֶּן לֵוִי explains the פָּסוּק is the דְּרַשׁ, not the פְּשַׁט.

רַבִּי יְהוֹשֻׁעַ בֶּן לֵוִי said	אריב״ל (אָמַר רַבִּי יְהוֹשֻׁעַ בֶּן לֵוִי)
Anyone who davens	כָּל הַמִּתְפַּלֵּל
the תְּפִלָּה of מוּסָף	תְּפִלָּה שֶׁל מוּסָפִין
later than [the] seven hours of רַבִּי יְהוּדָה['s opinion]	לְאַחַר שֶׁבַע שָׁעוֹת לְר׳ יְהוּדָה
the פָּסוּק says about him:	עָלָיו הַכָּתוּב אוֹמֵר
[They were] broken	**נוּגֵי**
because [they missed] the appointed time	**מִמּוֹעֵד**
I have destroyed [them]	**אָסַפְתִּי**
they were from you.	**מִמֵּךְ הָיוּ**

רַבִּי יְהוֹשֻׁעַ בֶּן לֵוִי explains that when the פָּסוּק speaks of breakage coming to people who missed the appointed time, it is referring to those who missed the preferred זְמַן for the תְּפִלָּה of מוּסָף (the זְמַן of רַבִּי יְהוּדָה).

*There are two other ways of understanding פְּסוּקִים, known as רֶמֶז and סוֹד, but they will not be discussed in this book.)

תפלת השחר פרק רביעי ברכות

At this point, the גְּמָרָא questions רַבִּי יְהוֹשֻׁעַ בֶּן לֵוִי's translation of the word "נוּגֵי" – "broken." Since this is an uncommon word, it is important to find a source for this interpretation.

How is it implied	מַאי מַשְׁמַע
that this word "נוּגֵי"	דְּהַאי נוּגֵי
is an expression of "breaking"?	לִישְׁנָא דְּתַבְרָא הוּא

One type of source for a specific translation is to rely on someone who is considered an expert at translating פְּסוּקִים. One אֲמוֹרָא who was known for this expertise was רַב יוֹסֵף. We will therefore state his translation of the פָּסוּק as the source for translating "נוּגֵי" as "broken."

As רַב יוֹסֵף translated [this פָּסוּק],	כִּדְמְתַרְגֵּם רַב יוֹסֵף
Breakage comes	תַּבְרָא אָתֵי
on the enemies of the בְּנֵי יִשְׂרָאֵל (This is "לְשׁוֹן סַגִּי נְהוֹר" – see box below)	עַל שַׂנְאֵיהוֹן דְּבֵית יִשְׂרָאֵל
because they delayed	עַל דְּאַחֲרוּ
the appointed times in יְרוּשָׁלַיִם.	זִמְנֵי מוֹעֲדַיָּא דְּבִירוּשְׁלֵים

לְשׁוֹן סַגִּי נְהוֹר

Our חֲכָמִים were very careful to not say bad things. However, there are times when the גְּמָרָא needs to tell us something bad. Very often, in these situations, the גְּמָרָא will say the opposite of what it really means. This way, the גְּמָרָא avoids saying the bad thing, but we are easily able to understand the true meaning. For example, when the גְּמָרָא wants to tell us that רַב שֵׁשֶׁת was blind, we are told that he was "סַגִּי נְהוֹר – much light." In fact, this type of speech is often referred to as לְשׁוֹן סַגִּי נְהוֹר.

In our גְּמָרָא, we learn the translation of רַב יוֹסֵף. When רַב יוֹסֵף interpreted the פָּסוּק to mean that the בְּנֵי יִשְׂרָאֵל would be broken, he instead said that "breakage will come on the enemies of the בְּנֵי יִשְׂרָאֵל." We, who learn the גְּמָרָא, are expected to understand his true intention.

Now that there is a source for translating "נוּגֵי" as "broken," we are ready to move on.

We have learned about the מַחֲלוֹקֶת regarding the end time for שַׁחֲרִית. Although the חֲכָמִים say that one may daven until חֲצוֹת, we hold like רַבִּי יְהוּדָה who says that one must daven before the end of the fourth hour.

רַבִּי אֱלְעָזָר will make a דְרָשָׁה that teaches us the importance of davening during the four hours that רַבִּי יְהוּדָה allows. This דְרָשָׁה will use the same פָּסוּק that רַבִּי יְהוֹשֻׁעַ בֶּן לֵוִי used in the first part of the שִׁיעוּר, except that he will translate the word "נוּגֵי" differently. **In אַגַדְתָּא** it is perfectly fine to make more than one דְרָשָׁה with the same פָּסוּק. It is even okay to translate words differently for different דְרָשׁוֹת. (This is different than a סוּגְיָא which makes דְרָשׁוֹת to learn out **הֲלָכוֹת**. In such a case, we can use the words of the פָּסוּק only once.)

רַבִּי אֱלְעָזָר said	א"ר אֱלְעָזָר
Anyone who davens	כָּל הַמִּתְפַּלֵּל
the תְּפִלָּה of שַׁחֲרִית	תְּפִלָּה שֶׁל שַׁחֲרִית
later than [the] four hours of רַבִּי יְהוּדָה['s opinion]	לְאַחַר אַרְבַּע שָׁעוֹת לְר' יְהוּדָה
the פָּסוּק says about him:	עָלָיו הַכָּתוּב אוֹמֵר
[They were] pained	**נּוּגֵי**
because [they missed] the appointed time	**מִמּוֹעֵד**
I have destroyed [them]	**אָסַפְתִּי**
they were from you.	**מִמֵּךְ הָיוּ**

Once again, we need a source for translating the word "נוּגֵי" as "pained."

How is it implied	מַאי מַשְׁמַע
that this word "נוּגֵי"	דְהַאי נוּגֵי
is an expression of "pain"?	לִישָׁנָא דְצַעֲרָא הוּא

Last time, the גְמָרָא found a source by quoting an expert (רַב יוֹסֵף). This time, however, we will try a different approach. Although the word נוּגֵי is not clearly understood in our פָּסוּק, there are other פְּסוּקִים which use that same word (or at least the same שׁוֹרֶשׁ) where the meaning is obvious. The גְמָרָא will present us with two such פְּסוּקִים:

 |

As the פָּסוּק writes	דִּכְתִיב
My soul melts	**דָּלְפָה נַפְשִׁי**
from pain.	**מִתּוּגָה**
רַב נַחְמָן בַּר יִצְחָק said	רַב נַחְמָן בַּר יִצְחָק אָמַר
[We learn it] from _____ (the following פָּסוּק)	מֵהָכָא
Her maidens are pained	**בְּתוּלֹתֶיהָ נּוּגוֹת**
and it is bitter for her.	**וְהִיא מַר לָהּ**

These two פְּסוּקִים are a source for translating "נוּגֵי" as "pained."

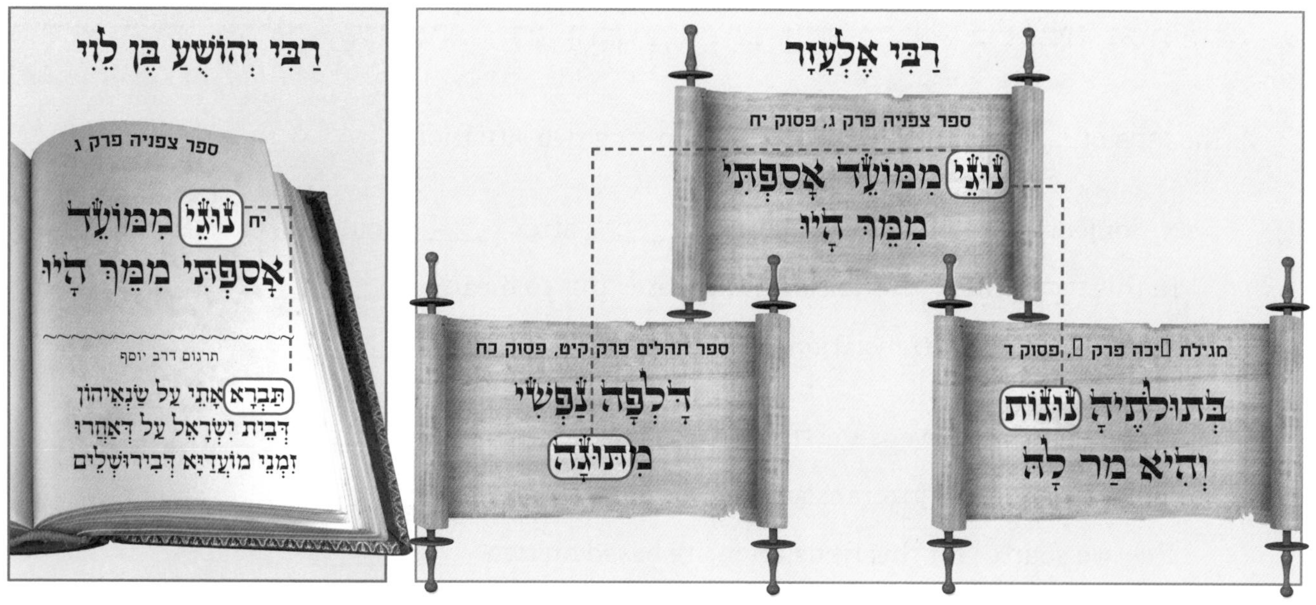

נוּגֵי מִמּוֹעֵד אָסַפְתִּי מִמֵּךְ הָיוּ

דְּרָשָׁה made by	זְמַן תְּפִלָּה which was missed	Meaning of the word "נוּגֵי"	Source for the translation
רַבִּי יְהוֹשֻׁעַ בֶּן לֵוִי	מוּסָף by seven hours	broken	The תַּרְגּוּם of רַב יוֹסֵף
רַבִּי אֶלְעָזָר	שַׁחֲרִית by four hours	pained	1. דָּלְפָה נַפְשִׁי מִתּוּגָה 2. בְּתוּלֹתֶיהָ נוּגוֹת וְהִיא מַר לָהּ

PUT IT ALL TOGETHER:

1. Read, translate and explain the following גְּמָרָא.

אריב"ל [ח]כָּל הַמִּתְפַּלֵּל תְּפִלָּה שֶׁל מוּסָפִין לְאַחַר שֶׁבַע שָׁעוֹת לְר' יְהוּדָה עָלָיו הַכָּתוּב אוֹמֵר
גֵי מִמּוֹעֵד אָסַפְתִּי מִמֵּךְ הָיוּ מַאי מַשְׁמַע דְּהַאי נוּגֵי לִישְׁנָא דְּתַבְרָא הוּא כִּדְמְתַרְגֵּם רַב יוֹסֵף תַּבְרָא אָתֵי
שַׂנְאֵיהוֹן דְּבֵית יִשְׂרָאֵל עַל דְּאַחֲרוּ זִמְנֵי מוֹעֲדַיָּא דְּבִירוּשְׁלַיִם א"ר אֶלְעָזָר כָּל הַמִּתְפַּלֵּל תְּפִלָּה שֶׁל שַׁחֲרִית
חַר אַרְבַּע שָׁעוֹת לְר' יְהוּדָה עָלָיו הַכָּתוּב אוֹמֵר נוּגֵי מִמּוֹעֵד אָסַפְתִּי מִמֵּךְ הָיוּ מַאי מַשְׁמַע דְּהַאי נוּגֵי לִישְׁנָא
עֲרָא הוּא דִּכְתִיב °דָּלְפָה נַפְשִׁי מִתּוּגָה רַב נַחְמָן בַּר יִצְחָק אָמַר מֵהָכָא °בְּתוּלוֹתֶיהָ נוּגוֹת וְהִיא מַר לָהּ

2. The פָּסוּק of "נוּגֵי מִמּוֹעֵד..." describes the following two situations:

א. Someone who davens the תְּפִלָּה of ________ after _______ hours.

In this דְּרָשָׁה, the גְּמָרָא translates the word "נוּגֵי" to mean ___________.

The source for this translation is _________________________________.

ב. Someone who davens the תְּפִלָּה of ________ after _______ hours.

In this דְּרָשָׁה, the גְּמָרָא translates the word "נוּגֵי" to mean ___________.

The two sources for this translation are based on two ___________.

3. In which type of גְּמָרָא can we make more than one דְּרָשָׁה using the same words? (אַגַּדְתָּא or הֲלָכָה) ____

4. In which type of גְּמָרָא can we not make more than one דְּרָשָׁה using the same words? (הֲלָכָה or אַגַּדְתָּא) ____

VOCABULARY REVIEW:

הוֹאִיל ______________________

כַּוָּותֵיהּ ______________________

הַאי ______________________

אֵימָא ______________________

אִלְמָלֵי ______________________

MATCHING:

_____ 1. Source that נוּגֵי means "breakage" — א. שֶׁבַע שָׁעוֹת

_____ 2. The first source that נוּגֵי means "pain" — ב. אַרְבַּע שָׁעוֹת

_____ 3. The פָּסוּק warns against davening שַׁחֲרִית after ________ — ג. תַּבְרָא

ד. צַעֲרָא

_____ 4. The פָּסוּק warns against davening מוּסָף after ________ — ה. כְּדִמְתַרְגֵּם רַב יוֹסֵף

_____ 5. The second source that נוּגֵי means "pain" — ו. דָּלְפָה נַפְשִׁי מִתּוּגָה

_____ 6. Regarding שַׁחֲרִית, the word נוּגֵי means ________ — ז. בְּתוּלֹתֶיהָ נוּגוֹת וְהִיא מַר לָהּ

_____ 7. Regarding מוּסָף, the word נוּגֵי means ________

The גְּמָרָא will now tell us a story that is connected to the הֲלָכוֹת of when a person may daven מוּסָף. Although it is a story and can be considered אַגַדְתָּא, there is discussion involving several הֲלָכוֹת. Therefore, we will treat this section as a סוּגְיָא and divide it into steps.

STEP 1

רַב אִוְיָא was ___________	רַב אִוְיָא חֲלַשׁ
and he did not ___________	וְלֹא אָתָא
to the שִׁיעוּר of רַב יוֹסֵף.	לְפִרְקָא דְּרַב יוֹסֵף

רַב אִוְיָא had a very legitimate reason for missing the שִׁיעוּר of רַב יוֹסֵף, and certainly did not mean to offend him in any way. However, אַבַּיֵי (who was a very close תַּלְמִיד of רַב יוֹסֵף) was concerned that his רֶבִּי might misunderstand the situation and think that רַב אִוְיָא missed the שִׁיעוּר because he did not consider רַב יוֹסֵף's teachings that important. In order to make רַב יוֹסֵף feel better, אַבַּיֵי decided to confront רַב אִוְיָא (in front of רַב יוֹסֵף) so that the matter would be straightened out.

STEP 2

The next day,	לְמָחָר
when he (רַב אִוְיָא) _________,	כִּי אָתָא
אַבַּיֵי wanted	בְּעָא אַבַּיֵי
to make רַב יוֹסֵף feel better.	לְאַנּוּחֵי דַעְתֵּיהּ דְּרַב יוֹסֵף
He said ________ (אַבַּיֵי to רַב אִוְיָא)	א"ל (אָמַר לֵיהּ)
What is the reason	מ"ט (מַאי טַעְמָא)
the __________ did not _________ to the שִׁיעוּר?	לֹא אָתָא מַר לְפִרְקָא

תפלת השחר
פרק רביעי
ברכות

STEP 3

רַב אוִֹיָא answered אַבַּיֵי's question with a simple answer:

He said ________ (רַב אוִֹיָא to אַבַּיֵי)	א"ל (אָמַר לֵיהּ)
____________ my heart was __________	דַהֲוָה חָלִישׁ לִבָּאִי
and I was not able.	וְלָא מָצִינָא

STEP 4

אַבַּיֵי then challenged רַב אוִֹיָא to make sure that he had tried everything in his power to come to the שִׁיעוּר. Again, this was to make sure that רַב יוֹסֵף could see that רַב אוִֹיָא was not simply looking for an excuse to miss the שִׁיעוּר.

He said ________ (רַב אוִֹיָא to אַבַּיֵי)	א"ל (אָמַר לֵיהּ)
Why	אַמַּאי
didn't you taste something (eat a little bit)	לָא טְעַמְתְּ מִידֵי
and come?	וְאָתֵית

If רַב אוִֹיָא would have eaten a little bit, he would have had the energy to come to the שִׁיעוּר. If the שִׁיעוּר was important to him, wouldn't he have done this?

STEP 5

He said ________ (רַב אוִֹיָא to אַבַּיֵי)	א"ל (אָמַר לֵיהּ)
Doesn't the __________ hold	לָא סָבַר לָהּ מַר
of ____ [teaching] ____ רַב הוּנָא	לְהָא דְּרַב הוּנָא
____ רַב הוּנָא said	דְּאָמַר רַב הוּנָא
"It is forbidden for a person	אָסוּר לוֹ לְאָדָם
to taste anything	שֶׁיִּטְעוֹם כְּלוּם
before he davens the תְּפִלָּה of מוּסָף?"	קוֹדֶם שֶׁיִּתְפַּלֵּל תְּפִלַּת הַמּוּסָפִין

The day that רַב אִוְיָא had missed the שִׁיעוּר was a day on which he had to daven מוּסָף (either שַׁבָּת, יוֹם טוֹב, or רֹאשׁ חוֹדֶשׁ). The שִׁיעוּר took place before they davened מוּסָף. Therefore, he could not have eaten anything, as רַב הוּנָא had taught.

STEP 6

אַבַּיֵי was still not going to let רַב אִוְיָא off the hook. Instead, he asked a very practical question:

He said ___________ (רַב אִוְיָא to אַבַּיֵי)	א"ל (אָמַר לֵיהּ)
The _________ needed to daven	אִיבָּעֵי לֵיהּ לְמָר לְצַלּוּיֵי
the תְּפִלָּה of מוּסָף	צְלוֹתָא דְמוּסָפִין
individually (by himself),	בְּיָחִיד
and [then] taste something	וְלִטְעוֹם מִידֵּי
and come [to the שִׁיעוּר].	וּלְמֵיתֵי

If רַב אִוְיָא truly valued the teachings of רַב יוֹסֵף, he would have davened מוּסָף privately in order to be able to eat something and come to the שִׁיעוּר.

STEP 7

Once again, רַב אִוְיָא had the need to defend himself. Again, he did so by quoting the teaching of an אֲמוֹרָא:

He said ________ (רַב אִוְיָא to אַבַּיֵי)	א"ל (אָמַר לֵיהּ)
Doesn't the __________ hold	וְלָא סָבַר לָהּ מַר
of this [teaching] that רַבִּי יוֹחָנָן said	לְהָא דְּא"ר יוֹחָנָן
"It is forbidden for a person	אָסוּר לוֹ לְאָדָם
to daven his תְּפִלָּה earlier	שֶׁיַּקְדִּים תְּפִלָּתוֹ
than the תְּפִלָּה of the congregation?"	לִתְפִלַּת הַצִּבּוּר

רַבִּי יוֹחָנָן had taught that a person may not daven before the צִיבּוּר (in his town) davens. רַב אִוְיָא, therefore, thought that he was not allowed to daven earlier than the minyan in his local shul, even though he was at home. That is why he did not daven מוּסָף privately in order to eat and come to the שִׁיעוּר.

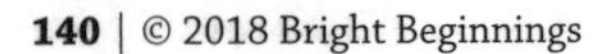

STEP 8

אַבַּיֵי will explain that רַב אִוְיָא was mistaken in his understanding of רַבִּי יוֹחָנָן's teaching.

He said ___________ (אַבַּיֵי to רַב אִוְיָא)	א"ל (אָמַר לֵיהּ)
Wasn't it said about that	לַאו אִתְּמַר עֲלָהּ
"רַבִּי אַבָּא said	א"ר אַבָּא
'This was [only] taught [when one is] in the צִיבּוּר (in the shul).'"	בְּצִבּוּר שָׁנוּ

אַבַּיֵי told רַב אִוְיָא that רַבִּי יוֹחָנָן's words had already been explained to mean that one may not daven ahead of the צִיבּוּר while he is in the shul, since doing so would be disrespectful to the צִיבּוּר. However, if he is in his own home (or anywhere else), there is no reason to wait for the צִיבּוּר in shul to daven. Therefore, רַב אִוְיָא could have davened מוּסָף at home, eaten something, and come to the שִׁיעוּר.

רַב אִוְיָא did not have a response to אַבַּיֵי's words. However, it seems that רַב יוֹסֵף did not feel bad anymore. After seeing that רַב אִוְיָא truly believed that he was not allowed to daven, רַב יוֹסֵף knew that his reason for missing the שִׁיעוּר was clearly not because he considered it unimportant.

PUT IT ALL TOGETHER:

1. Read, translate and explain the following גְּמָרָא.

רַב אִוְיָא חָלַשׁ וְלֹא אָתָא לְפִרְקָא דְּרַב יוֹסֵף
לְמָחָר כִּי אָתָא בְּעָא אַבַּיֵי לְאַנּוּחֵי דַּעְתֵּיהּ דְּרַב
יוֹסֵף א"ל מ"ט לֹא אָתָא מַר לְפִרְקָא א"ל דַּהֲוָה
חָלִישׁ לִבָּאִי וְלֹא מָצֵינָא א"ל אַמַּאי לֹא טְעַמְתְּ
מִידֵי וְאָתִית א"ל לֹא סָבַר לָהּ מַר לְהָא דְּרַב
הוּנָא דְּאָמַר רַב הוּנָא אָסוּר לוֹ לְאָדָם שֶׁיִּטְעוֹם כְּלוּם קוֹדֶם שֶׁיִּתְפַּלֵּל תְּפִלַּת
הַמּוּסָפִין א"ל אִיבָּעֵי לֵיהּ לְמַר לְצַלּוּיֵי צְלוֹתָא דְּמוּסָפִין בְּיָחִיד וְלִטְעוֹם מִידֵּי
וּלְמֵיתֵי א"ל וְלֹא סָבַר לָהּ מַר לְהָא דְּא"ר יוֹחָנָן אאָסוּר לוֹ לְאָדָם שֶׁיַּקְדִּים תְּפִלָּתוֹ
לִתְפִלַּת הַצִּבּוּר א"ל לַאו אִתְּמַר עֲלָהּ א"ר אַבָּא בבְּצִבּוּר שָׁנוּ

2. Who missed a שִׁיעוּר? ____________ 3. Why did he miss the שִׁיעוּר? ____________

4. Whose שִׁיעוּר did he miss? ____________

5. Who was worried that the rebbe would feel bad? ____________

6. What reason did the person give when he was asked why he missed the שִׁיעוּר? (Step 3)

____

7. What solution was offered that could have enabled him to come to the שִׁיעוּר? (Step 4)

____

8. What explanation did he give for not having used that solution? (Step 5)

____

9. In what way was he told that he could have gotten around that problem? (Step 6)

____

10. Why did he believe that he could not have gotten around the problem in that way? (Step 7) ____________

11. What mistake was he making that caused him to think that he could not have gotten around the problem? (Step 8) ____________

____

VOCABULARY REVIEW:

טָעוּתָא ________ סָלֵק ________ דוּכְתָּא ________

חָלַשׁ ________ פָּלִיג ________

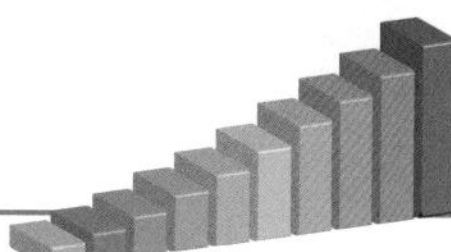

IDENTIFY THE STEPS:

BE SURE TO INCLUDE EVERY WORD.

Identify the steps of the גְמָרָא on the previous page:

 Please underline the מֵימְרָא	 Please (parenthesize) the first תֵּירוּץ	 Please double underline the second תֵּירוּץ	 Please put "quotes" around the third תֵּירוּץ
 Please circle the שְׁאֵלָה	 Please [bracket] the first קַשְׁיָא	 Please box the second קַשְׁיָא	 Please triple underline the third קַשְׁיָא

MATCHING:

______ 1. Why רַב אִוְיָא didn't eat something — א. דַהֲוָה חָלִישׁ לִבָּאִי וְלֹא מָצִינָא

______ 2. אַבַּיֵי's solution for how רַב אִוְיָא was feeling — ב. לֹא אָתָא לְפִרְקָא דְרַב יוֹסֵף

______ 3. Why אַבַּיֵי questioned רַב אִוְיָא — ג. א"ר אַבָּא בְּצִבּוּר שָׁנוּ

______ 4. רַב אִוְיָא's reason for not davening מוּסָף — ד. מַאי טַעְמָא לֹא אָתָא מַר לְפִרְקָא

______ 5. אַבַּיֵי's solution to allow רַב אִוְיָא to eat — ה. לְאַנוּחֵי דַעְתֵּיהּ דְרַב יוֹסֵף

______ 6. רַב אִוְיָא's reason for missing the שִׁיעוּר — ו. דְאָמַר רַב הוּנָא אָסוּר לוֹ לְאָדָם שֶׁיִּטְעוֹם כְּלוּם קוֹדֶם שֶׁיִּתְפַּלֵּל תְּפִלַּת הַמּוּסָפִין

______ 7. אַבַּיֵי's original question to רַב אִוְיָא — ז. אִיבָּעֵי לֵיהּ לְמַר לְצַלּוּיֵי צְלוֹתָא דְמוּסָפִין בְּיָחִיד

______ 8. Correct understanding of רַבִּי יוֹחָנָן's words — ח. דְא"ר יוֹחָנָן אָסוּר לוֹ לְאָדָם שֶׁיַּקְדִּים תְּפִלָּתוֹ לִתְפִלַּת הַצִּבּוּר

______ 9. What רַב אִוְיָא did that might have made רַב יוֹסֵף feel bad — ט. אַמַּאי לֹא טְעַמְתְּ מִידֵי

STEP 9

The גְּמָרָא concludes the סוּגְיָא by telling us about two teachings of אֲמוֹרָאִים that we do not accept as the הֲלָכָה.

And the הֲלָכָה is not [like the following אֲמוֹרָאִים]:	וְלֵית הִלְכְתָא
[It is] not like רַב הוּנָא	לֹא כְּרַב הוּנָא
and not like רַבִּי יְהוֹשֻׁעַ בֶּן לֵוִי.	וְלֹא כְּרִיב"ל

The גְּמָרָא will now tell us which teaching of רַב הוּנָא is not accepted as the הֲלָכָה.

[The הֲלָכָה is not] like רַב הוּנָא:	כְּרַב הוּנָא
____ ______ we said [just before].	הָא דַּאֲמָרָן

In the last שִׁיעוּר we learned that רַב הוּנָא taught that one may not eat anything before davening מוּסָף. We now know that this is not the הֲלָכָה, and one may eat before מוּסָף.*

We will now learn the teaching of רַבִּי יְהוֹשֻׁעַ בֶּן לֵוִי which is not accepted as הֲלָכָה.

[And the הֲלָכָה is not] like רַבִּי יְהוֹשֻׁעַ בֶּן לֵוִי	כְּרִיב"ל
____ רַבִּי יְהוֹשֻׁעַ בֶּן לֵוִי said	דְּאריב"ל
Once it has reached	כֵּיוָן שֶׁהִגִּיעַ
[the] time [that one may daven] the תְּפִלָּה of מִנְחָה	זְמַן תְּפִלַּת הַמִּנְחָה
it is forbidden for a person	אָסוּר לוֹ לְאָדָם
to taste anything	שֶׁיִּטְעוֹם כְּלוּם
before he davens the תְּפִלָּה of מִנְחָה.	קוֹדֶם שֶׁיִּתְפַּלֵּל תְּפִלַּת הַמִּנְחָה:

רַבִּי יְהוֹשֻׁעַ בֶּן לֵוִי taught that we may not eat anything before we daven מִנְחָה (once the time for מִנְחָה begins). However, the גְּמָרָא teaches us that we do not pasken like this teaching of רַבִּי יְהוֹשֻׁעַ בֶּן לֵוִי, and one may eat before davening מִנְחָה.

*The שֻׁלְחָן עָרוּךְ writes that although one may eat before מוּסָף, he may not eat a meal.

רַב הוּנָא

One may not taste any food before davening מוּסָף

רַבִּי יְהוֹשֻׁעַ בֶּן לֵוִי

Once the זְמַן מִנְחָה begins, one may not taste any food before davening מִנְחָה

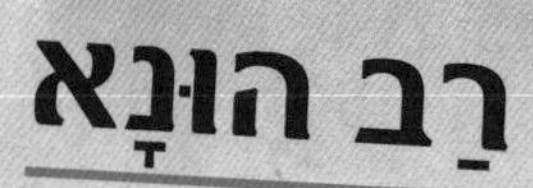

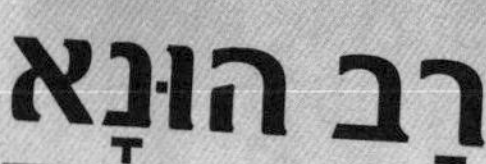

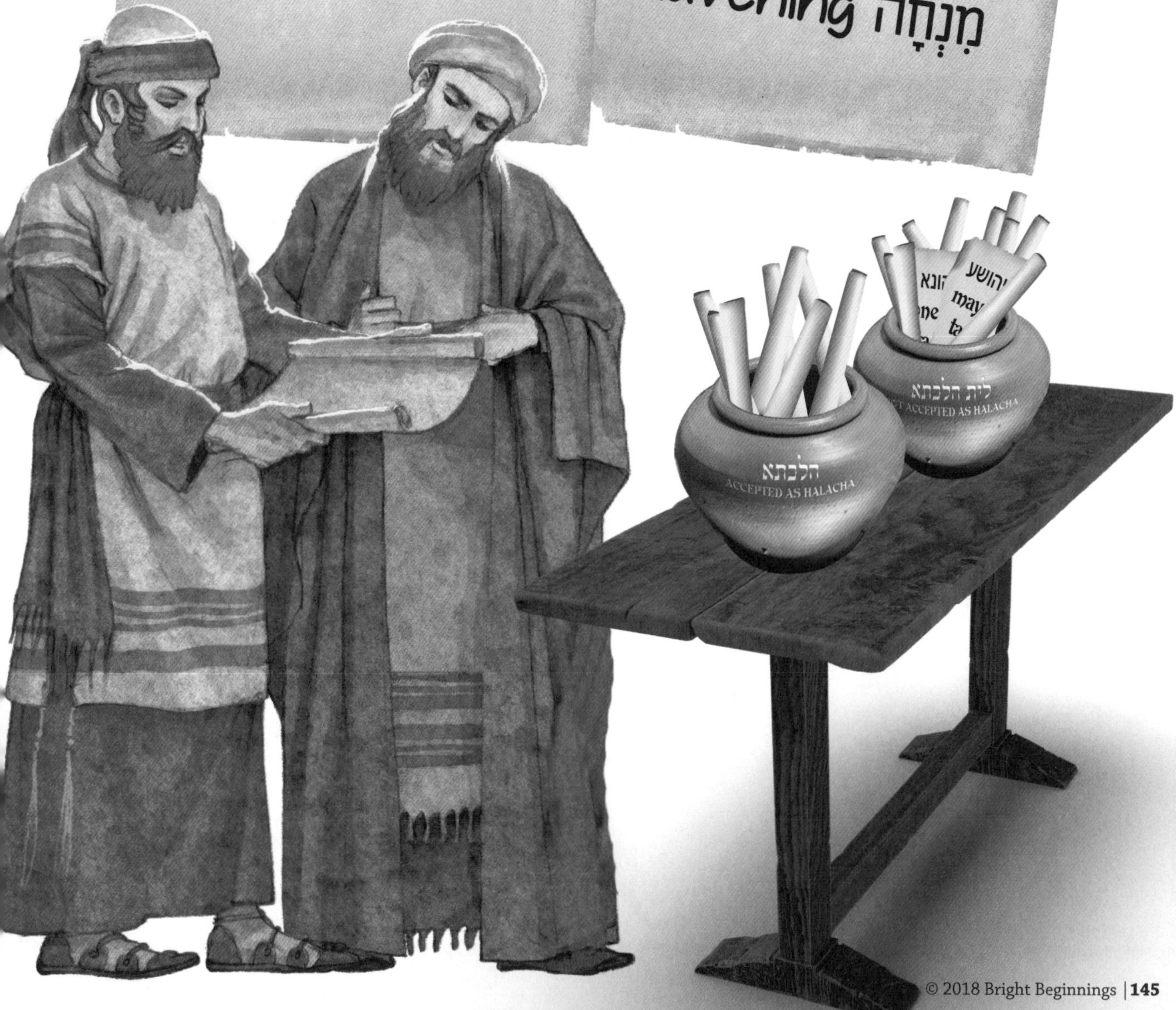

PUT IT ALL TOGETHER:

1. Read, translate and explain the following גְּמָרָא.

וְלֵית הִלְכְתָא ג׳לא
כְּרַב הוּנָא וְלֹא ד׳כְּרִיבַ״ל כְּרַב הוּנָא הָא דַּאֲמָרָן כְּרִיבַ״ל דְּאָרִיבַ״ל *כֵּיוָן שֶׁהִגִּיעַ
זְמַן תְּפִלַּת הַמִּנְחָה אָסוּר לוֹ לְאָדָם שֶׁיִּטְעוֹם כְּלוּם קוֹדֶם שֶׁיִּתְפַּלֵּל תְּפִלַּת
הַמִּנְחָה:

2. The two הֲלָכוֹת mentioned in this שִׁיעוּר:

___________ are the accepted הֲלָכָה

___________ are not the accepted הֲלָכָה

3. The first הֲלָכָה mentioned in this שִׁיעוּר was taught by ______________________________.

4. He taught that ____.

5. The second הֲלָכָה mentioned in this שִׁיעוּר was taught by ______________________________.

6. He taught that ____.

VOCABULARY REVIEW:

הֵיכָא ______________________

הָכָא ______________________

הֵיכִי ______________________

הָכִי ______________________

הָתָם ______________________

IDENTIFY THE STEPS:

וְלֵית הִלְכְתָא ג׳לא
כְּרַב הוּנָא וְלָא י׳כְּרִיבַ״ל כְּרַב הוּנָא הָא דַּאֲמָרָן כְּרִיבַ״ל דְּאָרִיבַ״ל *כֵּיוָן שֶׁהִגִּיעַ
זְמַן תְּפִלַּת הַמִּנְחָה אָסוּר לוֹ לְאָדָם שֶׁיִּטְעוֹם כְּלוּם קוֹדֶם שֶׁיִּתְפַּלֵּל תְּפִלַּת
הַמִּנְחָה:

This step is a ______________________.

MATCHING:

______	1. Words that refer to הֲלָכָה taught in שִׁיעוּר מ״ח	א. אָסוּר לוֹ לְאָדָם שֶׁיִּטְעוֹם כְּלוּם קוֹדֶם שֶׁיִּתְפַּלֵּל תְּפִלַּת הַמּוּסָפִין
______	2. הֲלָכָה taught by רַב הוּנָא	ב. לֵית הִלְכְתָא
______	3. Step 9 of our סוּגְיָא	ג. אָסוּר לוֹ לְאָדָם שֶׁיִּטְעוֹם כְּלוּם קוֹדֶם שֶׁיִּתְפַּלֵּל תְּפִלַּת הַמִּנְחָה
______	4. הֲלָכָה taught by רַבִּי יְהוֹשֻׁעַ בֶּן לֵוִי	ד. הָא דַּאֲמָרָן
______	5. What the גְּמָרָא tells us about these two הֲלָכוֹת	ה. מַסְקָנָא

1. מימרא

The סוּגְיָא began (in שִׁיעוּר מ"ה) by quoting the n part of our ________________. We knew that גְּמָרָא was doing this because the words of this step __ ____.

In this step, the גְּמָרָא quotes the מִשְׁנָה as telling us the time during which a person can dav the תְּפִלָּה of ____________. There is a מַחֲלוֹקֶת:

חֲכָמִים ________________________________ רַבִּי יְהוּדָה ________________________

רַבִּי יוֹחָנָן tells us that someone who misses the זְמַן of רַבִּי יְהוּדָה is cal ____________________________. Through this statement, רַבִּי יוֹחָנָן telling us that although we do hold like ________________, a pers should really try to follow the שִׁיטָה of ________________

The גְּמָרָא teaches a בְּרַיְיתָא. This בְּרַיְיתָא is introduced with the wo ________________. These words are used when the בְּרַיְיתָא is simply be taught ____

The בְּרַיְיתָא tells us about a מַחֲלוֹקֶת between רַבִּי יְהוּדָה and the חֲכָמִים in a case wh ____

The שִׁיטוֹת are as follows:

Reason	Which תְּפִלָּה to say first	
		חֲכָמִים
		רַבִּי יְהוּדָה

מסקנא

רַבִּי יוֹחָנָן tells us that in this case (discussed in Step 3), we pasken like ________________. A person should first daven ______________ and then he should daven ________________________.

אגדתא

The גְּמָרָא tells us that when ______________ felt ____________ from learning, he would go and sit by the entrance of ___________ ___________________________. This way, as the ____________ assed by, he would be able to ______________________________ and receive reward for showing ____________ for the תּוֹרָה.

ne time, ______________________________ came by. רַבִּי זֵירָא asked him to tell him who said a ___________ in the ____________________. רַבִּי נָתָן בַּר טוֹבִי answered that ______________ had aid that the הֲלָכָה is ____. רַבִּי זֵירָא reviewed this ith him ____________ times. רַבִּי נָתָן בַּר טוֹבִי wondered why he needed to review this so many mes. There were two possibilities for this:

. ____

. ____

רַבִּי זֵירָ told him that the reason that he needed to review it so many times is because he was in oubt ____.

he גְּמָרָא continues its discussion about the תְּפִלָּה of מוּסָף. We are told by רַבִּי יְהוֹשֻׁעַ בֶּן לֵוִי about a פָּסוּק hat speaks harshly about people who miss the appointed time to serve Hashem. רַבִּי יְהוֹשֻׁעַ בֶּן לֵוִי

says that these harsh words are referring to someone who dav the תְּפִלָּה of מוּסָף after ______________________________. The f word of this פָּסוּק is ______________. רַבִּי יְהוֹשֻׁעַ בֶּן לֵוִי understa this word to mean ____________________. The גְּמָרָא asks for a sou for this translation. In response, the גְּמָרָא quotes the translation ______________________.

Next, רַבִּי אֶלְעָזָר tells us that the פָּסוּק refers to someone who davens the תְּפִלָּה _____________ after _____________________________. In this דְּרָשָׁה, the word נוּגֵי is unc stood to mean ________________. Once again, the גְּמָרָא asks for a source for this translation. גְּמָרָא then quotes two different ______________ in which this word is used to mean __________

In שִׁיעוּר מ״ח we learned a story which contained a long discussion:

1\. 

רַב אִוְיָא was _________________________ and did not come to the __________ of רַב יוֹסֵף.

2\. 

The next day, אַבַּיֵי wanted to make רַב יוֹסֵף _________________________. He as רַב אִוְיָא why ____

3\. 

רַב אִוְיָא answered that he ____ _____________________.

4\. 

אַבַּיֵי said that רַב אִוְיָא should have ________________________________ _____________________.

 |

רַב אִוְיָא explained that he could not have done that because ______________
____.

אַבַּיֵי insisted that רַב אִוְיָא should have first ______________________
and then ______________________________________.

רַב אִוְיָא answered that he could not do that because it would go against the words of רַבִּי יוֹחָנָן who had said ______________________________________.

אַבַּיֵי explained that רַב אִוְיָא had made a mistake. רַב אִוְיָא had thought that the teaching of רַבִּי יוֹחָנָן applies even when a person is ______________________.
In truth, it only applies when a person is ______________________.

The גְמָרָא concludes that that we do not pasken like the הֲלָכוֹת taught by two different אֲמוֹרָאִים:

The accepted הֲלָכָה	Teaching which is not accepted as the הֲלָכָה	אֲמוֹרָא

If you were given a package of food and you were not sure if it was kosher, you could ask the person who gave it to you to tell you where he had gotten it. If it came from a kosher store, you would know that it is kosher, whereas if it came from a non-kosher source, you would not be allowed to eat it.

However, what would be the הֲלָכָה if the person did not know where he had gotten the food? Could you assume that it was kosher, or would it be אָסוּר (forbidden) to eat just in case it had come from a non-kosher store?

The תּוֹרָה teaches us that when the source of something is unknown, we can assume that it has come from the majority. If the majority of the stores are kosher, we can (sometimes) assume that the food is kosher. On the other hand, if the majority of the stores are not kosher, we would treat this food the way we treat any non-kosher food. If there are an equal number of kosher and non-kosher stores, we would have a סָפֵק (doubt) and have to be מַחְמִיר (strict) and the food would be אָסוּר to eat. However, there are specific rules about when we may follow the majority in order to treat a food as kosher, and when we may not:

Imagine that you were living in a city which had ten butcher shops. Nine of these shops sold kosher meat and just one of them sold non-kosher meat. Clearly, the majority of the meat in the city is kosher.

עֶשֶׂר חֲנוּיוֹת - כָּל דְּפָרִישׁ מֵרוּבָּא פָּרִישׁ

כָּל קָבוּעַ כְּמֶחֱצָה עַל מֶחֱצָה

Anything which was taken from its original source is viewed as coming from a group of half and half.

One day, a friend comes to visit you from out of town. He thinks that all of the butcher shops in your city are kosher. As a gift for hosting him, he goes to one of the butcher shops (without paying attention to which one) and buys a nice piece of meat. When you ask him where he got it, he is unsure. After all, he thought that all of the stores were kosher, so it didn't matter.

In this case, we DO NOT follow the majority to assume that the meat is kosher. This is because the meat was taken from its source (the butcher shop). Instead, we use the rule of כָּל קָבוּעַ כְּמֶחֱצָה עַל מֶחֱצָה – anything which was taken from its original source is viewed as coming from a group of half and half. This rule tells us to view this meat as having an equal chance of being kosher or non-kosher, and therefore may not be eaten.

כָּל דְּפָרִישׁ מֵרוּבָּא פָּרִישׁ

Anything which had already separated from its source can be assumed to have come from the majority.

One day you are walking down the street and find an unmarked package of meat. You have no way of knowing which store it came from. In this case we MAY follow the majority. This is because the meat was found after it had already been removed from its source. This allows us to apply the rule of כָּל דְּפָרִישׁ מֵרוּבָּא פָּרִישׁ – anything which had already separated from its source can be assumed to have come from the majority. This rule tells us to view this meat as having come from a kosher store, since they are the majority.

In שִׁיעוּר מ״ב, this rule is used by רַבִּי יְהוֹשֻׁעַ in order to permit יְהוּדָה גֵּר עַמּוֹנִי to marry a Jewish woman. Originally, there were seventy nations in the world. Sixty-eight of them were "kosher" (allowed to marry Jewish women if they convert), and two of them (עַמּוֹן and מוֹאָב) were "non-kosher" (not allowed to marry Jewish women even if they convert). At the time that סַנְחֵרִיב had mixed up all of the nations, יְהוּדָה גֵּר עַמּוֹנִי had an ancestor that was separated from his original land. At some point, his family forgot which land had been their original home. Therefore it is unknown whether יְהוּדָה was "kosher" or "non-kosher." Because the ancestor was פָּרִישׁ (when he was removed from his land by סַנְחֵרִיב), we may follow the majority of nations which are "kosher" (sixty-eight "kosher" and only two "non-kosher"). This is why רַבִּי יְהוֹשֻׁעַ permitted יְהוּדָה to marry a Jewish woman.

TOPIC REVIEW

1. In the case discussed in this appendix, most of the butcher shops in town were
   a. kosher. b. not kosher.
2. In the first situation that was discussed (where the guest bought the meat for his host), the meat was gotten
   a. from its source. b. after it had been removed from its source.
3. In the first situation that was discussed (where the guest bought the meat for his host), the הֲלָכָה is that the meat
   a. may be eaten. b. may not be eaten.
4. In the first situation that was discussed (where the guest bought the meat for his host), the rule that was used is called
   a. כָּל קָבוּעַ כְּמֶחֱצָה עַל מֶחֱצָה. b. כָּל דְּפָרִישׁ מֵרוּבָּא פָּרִישׁ.
5. In the second situation that was discussed (where the meat was found on the street), the meat was gotten
   a. from its source. b. after it had been removed from its source.
6. In the second situation that was discussed (where the meat was found on the street), the הֲלָכָה is that the meat
   a. may be eaten. b. may not be eaten.
7. In the second situation that was discussed (where the meat was found on the street), the rule that was used is called
   a. כָּל קָבוּעַ כְּמֶחֱצָה עַל מֶחֱצָה. b. כָּל דְּפָרִישׁ מֵרוּבָּא פָּרִישׁ.
8. The גְּמָרָא in שִׁיעוּר מ״ב uses the rule of
   a. כָּל קָבוּעַ כְּמֶחֱצָה עַל מֶחֱצָה. b. כָּל דְּפָרִישׁ מֵרוּבָּא פָּרִישׁ.
9. In the גְּמָרָא in שִׁיעוּר מ״ב, what is the "object" that has been separated from its source?

   ____ .

10. What was the original source of that "object?" ____________________
11. How was the "object" removed from its source? ____________________
12. What הֲלָכָה applied to that "object" because it had been removed from its source?

    ____ .

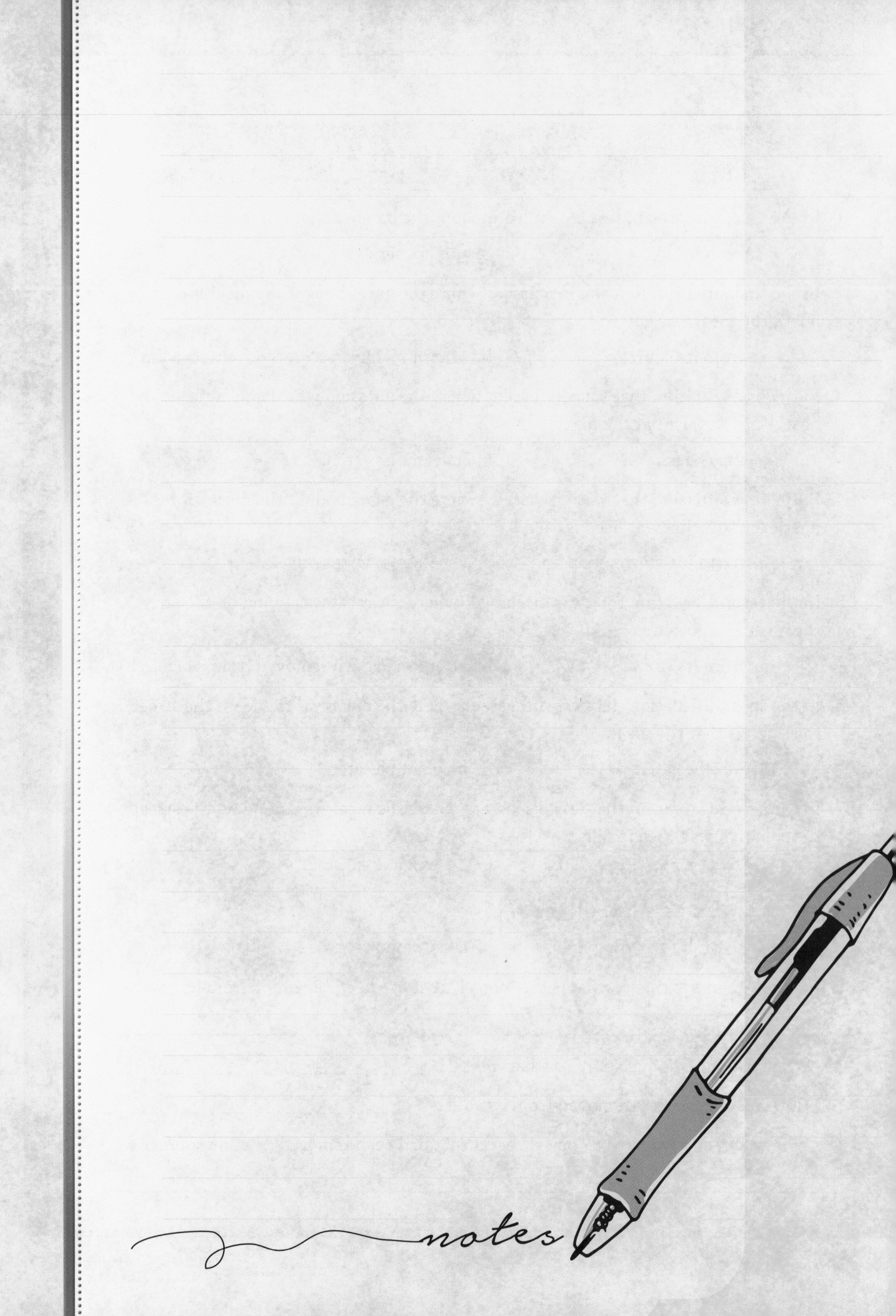
notes

notes

notes